Vegetationsstufen

1: Die nivale Stufe (Schneestufe) mit vereinzelten Blütenpflanzen, vorwiegend jedoch Moosen und Flechten.
2: Die alpine Stufe mit Felsspalten- und Felsschuttgesellschaften sowie alpinen Rasen.
3: Die subalpine Stufe mit Almen und natürlich gewachsenem Nadelwald.
4: Die montane Stufe (Bergstufe), an den Hängen Mischwald, in den Tallagen Landwirtschaft.

Wolfgang Lippert

GU Naturführer
Alpen
blumen

Die wichtigen Blütenpflanzen
der Ost- und Westalpen erkennen
und bestimmen

GU
Gräfe und Unzer

Einstecken – Natur entdecken

Dieser Alpenblumenführer ist für Naturfreunde maßgeschneidert: Handliches Einsteck-Format, strapazierfähiger Einband und nur 300 g Gewicht machen ihn zum idealen Begleiter auf Bergwanderungen und Hochgebirgstouren.

Abgebildet und beschrieben sind die wichtigen Blütenpflanzen der Ost- und Westalpen:

<u>420 naturgetreue Farbfotos</u>, ausnahmslos aufgenommen am natürlichen Standort, zeigen die charakteristische Wuchsform mit allen wichtigen Pflanzenteilen.

<u>160 botanische Zeichnungen</u> verdeutlichen Erkennungsmerkmale wie Blüten, Stengel, Blätter, Früchte und stellen Unterscheidungsmerkmale ähnlicher Arten heraus.

<u>40 Verbreitungskarten</u> zeigen charakteristische Verbreitungsgebiete seltener oder weniger verbreiteter Alpenblumen.

<u>Kurze, leicht auffaßbare Beschreibungstexte</u>, die den Farbfotos zugeordnet sind, informieren über Aussehen, Standort, Verbreitung und ähnliche Arten.

Besonders leicht gemacht wird das Bestimmen durch den bewährten *GU Kennfarben-Code:* Die vorgestellten Alpenblumen sind <u>nach Blütenfarben geordnet,</u> Fotos und Texte stehen in den entsprechenden Farbfonds. <u>Signalfarbene Griffmarken,</u> die auch außen am Buch deutlich zu sehen sind, erleichtern das Auffinden der gesuchten Blume. Mit seinem einfachen Farbbestimmungssystem, den naturgetreuen Farbfotos, informativen Zeichnungen und Verbreitungskarten, den schnell auffaßbaren Beschreibungen wird es auch Ungeübten leicht gemacht, die Alpenblumen kennenzulernen und zu bestimmen.

Über seine Aufgabe als Bestimmungsbuch hinaus vermittelt der GU Alpenblumenführer Wissenswertes über Vegetationsstufen und alpine Pflanzengesellschaften. Nur wer die Alpenblumen und ihre außergewöhnlichen Lebensbedingungen kennt, kann sich für ihren Schutz und für die Erhaltung unserer bedrohten Bergwelt einsetzen.

Die Farbfotos auf dem Umschlag

Vorderseite

<u>Oben:</u> links Dunkler Mauerpfeffer, Mitte Edelweiß, rechts Schwarzes Kohlröschen.

<u>Mitte:</u> links Scheuchzers Glockenblume, Mitte Fleischers Weidenröschen, rechts Stengelloser Enzian.

<u>Unten:</u> links Aurikel, Mitte Zwerg-Himmelsherold, rechts Herzblatt-Hahnenfuß; darunter Alpen-Mannsschild.

Buchrücken: Bärtige Glockenblume.

Rückseite

<u>Oben:</u> links Punktierter Enzian, Mitte Spinnweb-Hauswurz, rechts Hallers Wucherblume.

<u>Mitte:</u> links Alpen-Mannstreu, Mitte Bayerischer Enzian, rechts Ganzrandige Primel.

<u>Unten:</u> links Morettis Glockenblume, Mitte Gelber Alpenmohn, rechts Rostrote Alpenrose; darunter Sumpf-Herzblatt.

Alpenblumen nach Blütenfarben bestimmen

Um Ihnen das Bestimmen zu erleichtern, sind die in diesem Buch vorgestellten 600 Alpenblumenarten nach Blütenfarben geordnet. Farbfotos und Beschreibungstexte stehen in den entsprechenden Farbfonds, signalfarbene Griffmarken kennzeichnen bereits von außen die Farbgruppen Blau, Gelb, Rot, Weiß und Grün.

Die fünf Farbgruppen

	Blaue Griffmarke: In dieser Farbgruppe sind alle Alpenblumen zu finden, die in den Farben Hellblau bis Dunkelblau und Blauviolett blühen.	Seite 8–43
	Gelbe Griffmarke: In dieser Farbgruppe sind alle Alpenblumen zu finden, die in den Farben Hellgelb bis Orange blühen.	Seite 44–111
	Rote Griffmarke: In dieser Farbgruppe sind alle Alpenblumen zu finden, die in den Farben Rosa bis Orangerot, Purpur und Rotviolett blühen.	Seite 112–173
	Weiße Griffmarke: In dieser Farbgruppe sind alle Alpenblumen zu finden, die in den Farben Weiß oder Creme blühen.	Seite 174–229
	Grüne Griffmarke: In dieser Farbgruppe sind alle Alpenblumen zu finden, die in grünlichen und bräunlichen Farbtönen blühen.	Seite 230–241

Innerhalb jeder Farbgruppe sind die Alpenblumenarten gemäß ihrer Zugehörigkeit zu größeren systematischen Einheiten (Gattung, Familie) in immer gleicher Reihenfolge vorgestellt.

Ausnahmen von der Regel

Die meisten Alpenblumen können Sie nach ihrer Blütenfarbe – also der Farbe ihrer Kronblätter – eindeutig einordnen. Mit Hilfe der Blütenfarbe sind auch die Pflanzen zu bestimmen, deren Kronblätter andersfarbige Flecken tragen (Beispiel: Gebirgs-Veilchen, Seite 74).
Fehlen die Kronblätter (Beispiel: Alpen-Bruchkraut, Seite 234), dann gilt die Farbe der Kelchblätter (beim Alpen-Bruchkraut: grün).
Zwei Besonderheiten, die nur in wenigen Fällen zutreffen:
• Änderung der Blütenfarbe während der Blütezeit (Beispiel: Südalpen-Lungenkraut, Seite 26).
• Schwankungen in der Blütenfarbe – vornehmlich in den Bereichen Rot/Blau (Beispiel: Gebirgs-Spitzkiel, Seite 140), Rosa/Weiß (Beispiel: Niederliegender Taubenkropf, Seite 180), Hellgelb/Weiß (Beispiel: Alpen-Knöterich, Seite 178).

Erläuterungen

Die Auswahl der Alpenblumenarten

In diesem Alpenblumenführer finden Sie die wichtigen Blütenpflanzen der Ost- und Westalpen – häufige, wenn auch eher unscheinbare ebenso wie auffällige, jedoch weniger häufige Arten. Die meisten der vorgestellten Alpenblumen leben entweder in der alpinen Stufe, also über der Baumgrenze, oder in der subalpinen Stufe, häufig in Hochstaudenfluren oder Grünerlengebüschen. Es wurden außerdem einige Blumenarten aufgenommen, die einerseits außerhalb der Alpen vorkommen, sich aber andererseits, da sie besonders anpassungsfähig sind, auch im Gebirge behaupten können.

Die Alpen, höchstes Gebirge Europas, erstrecken sich in einem fast 1200 km langen und bis 250 km breiten Bogen von Mittelmeer und Rhônetal im Südwesten und Westen bis in das Gebiet von Wien und Laibach im Osten und Südosten. Mit rund 220 000 km^2 Fläche sind sie – verglichen mit anderen Gebirgen der Erde – verhältnismäßig klein und mit einer maximalen Höhe von 4807 m (Mont Blanc) relativ niedrig. Ihre geologische Zusammensetzung jedoch ist sehr vielfältig mit häufig wechselnden Landschaftsformen; dies und die unterschiedlichen klimatischen Bedingungen in den Alpen erklären die überaus große Artenzahl der Alpenblumen.

Farbfotos, Zeichnungen, Texte

Die **Naturfarbfotos** – ausgewählt nach den Kriterien »optimale Bildqualität« und »ideales Bestimmungsbild« – zeigen
• das typische Erscheinungsbild der Pflanze an ihrem natürlichen Standort,
• die typische Wuchsform der Pflanze zur Blütezeit,
• Stengelblätter und, wenn für das Erkennen wichtig, Grundblätter der Pflanze.

Pflanzen sind Individuen, deren von Erbanlagen bestimmter Bauplan durch Umwelteinflüsse, beispielsweise Standortbedingungen, verändert sein kann. Es ist deshalb nicht immer eine völlige Übereinstimmung der gefundenen Pflanze mit der Abbildung gegeben.

Farbfotos und Beschreibungstexte sind einander auf einer Doppelseite zugeordnet; das Farbfoto und der dazugehörige Steckbrief tragen dieselbe Nummer. In den **Steckbriefen,** den Beschreibungstexten der Alpenblumen, finden Sie alle wichtigen Angaben, die Ihnen – in Ergänzung zum farbigen Bestimmungsfoto – das Erkennen ermöglichen.

Nach dem <u>deutschen Namen</u> der Blume (und in einigen Fällen dem ebenso gebräuchlichen Zweitnamen) finden Sie den <u>lateinischen Namen</u> gemäß der »Flora Europaea«, dem 1980 vollständig erschienenen Werk. Außerdem ist der Name der <u>Pflanzenfamilie</u> angegeben.

Erklärung der Symbole:

Ⓢ   geschützt

Ⓥ   gefährdet oder in ständigem Rückgang begriffen

⊞   giftig

Die Symbole, die neben den deutschen Pflanzennamen stehen, gelten auch für die jeweils beschriebenen ähnlichen Arten.

Das charakteristische Erscheinungsbild einer jeden Blume, also ihr <u>Aussehen</u>, ist detailliert beschrieben. Neben der Farbe sind Form und Anordnung der Blüten die wichtigsten Bestimmungsmerkmale. Auch Form und Struktur der Früchte sind für die Erkennung sehr wichtig, da die Pflanzen hier am »konservativsten« sind und sich diese Merkmale durch Umwelteinflüsse kaum ändern. Die Ausbildung der Blätter jedoch kann standortbedingten Veränderungen unterliegen; besonders stark variieren Höhe und Verzweigung des Stengels.

Die <u>Blütezeit</u> einer Pflanze ist abhängig von jahreszeitlichen Wetterbedingungen und davon, wo die beschriebene Art wächst, ob in der subalpinen oder der alpinen Stufe, ob an Nord- oder an Südhängen. Deshalb ist eine relativ große Zeitspanne genannt. Die Angaben über den <u>Standort</u> dienen bei der Bestimmung nur als Orientierungshilfe. Die meisten Arten können viele unterschiedliche Standorte besiedeln, die in der Reihenfolge ihrer häufigsten Besiedelung aufgeführt sind. Unter dem Stichwort <u>Verbreitung</u> sind jene Gebiete der Alpen angegeben, in denen die vorgestellten Alpenblumen wachsen; darüber hinaus sind auch außeralpine Gebiete genannt, in denen die Arten vorkommen. Die **Verbreitungskarten** zeigen charakteristische Verbreitungsgebiete seltener oder weniger weit verbreiteter Alpenblumen.

<u>Ähnliche Arten</u> unterscheiden sich von den abgebildeten oft durch Merkmale, die erst bei genauerer Betrachtung zu erkennen sind. Um Ihnen der Bestimmung zu erleichtern, sind solche Unterscheidungsmerkmale, wenn nötig, in Zeichnungen dargestellt.

Die **botanischen Zeichnungen** innerhalb der Beschreibungstexte zeigen entweder wichtige Merkmale als Ergänzung zu den Farbfotos oder die Unterscheidungsmerkmale von ähnlichen Arten. Außerdem enthält dieser Alpenblumenführer Zeichnungen von Blüten- und Kelchformen, Blattformen und Blütenständen (letzte Textseite und hintere Umschlaginnenseite), zudem Zeichnungen der Gräser und Sauergräser sowie der Blätter und Zapfen der für die Gebirgswälder typischen Sträucher, Laub- und Nadelbäume (vordere Umschlaginnenseite).

Als **weitere Bestimmungshilfen** finden Sie auf den Seiten 242 bis 246 Wissenswertes über die großräumige Gliederung der Alpenvegetation, die *Vegetationsstufen* (mit einer Zeichnung auf der ersten Textseite), und über die Bedingungen, unter denen die Alpenblumen in den einzelnen *Pflanzengesellschaften* leben (mit Zeichnung im Text). Das *Arten-Register* (Seite 247) enthält alle deutschen und lateinischen Namen der beschriebenen Alpenblumen, außerdem die Namen der Pflanzenfamilien. *Zentimeterstreifen* auf den Umschlaginnenseiten ermöglichen den Größenvergleich an Ort und Stelle.

Der Autor

Dr. rer. nat. Wolfgang Lippert ist Oberkonservator an der Botanischen Staatssammlung in München und Vorsitzender der Bayerischen Botanischen Gesellschaft. Spezialgebiet: Soziologie alpiner Pflanzengesellschaften und Systematik europäischer Gebirgspflanzen. Autor des „Fotoatlas der Alpenblumen", Gräfe und Unzer Verlag, München.

1 Alpenrebe ⓢ

Clematis alpina
(Hahnenfußgewächse)

Schlingstrauch mit bis 2 m langen, kletternden, verholzenden Trieben. Blätter gegenständig, langgestielt, doppelt 3zählig. Blüten einzeln, langgestielt, nickend, mit meist 4 abstehenden, bis 5 cm langen, violetten bis hellblauen Perigonblättern; Nektarblätter halb so lang wie die Perigonblätter, gelblichweiß. Früchte klein, behaart, mit bis 3 cm langem, abstehend behaartem Griffel.
<u>Blütezeit:</u> V–VIII. <u>Standort:</u> Felsen, Gebüsche, lichte Wälder; meist auf Kalk, selten auf Silikat, <u>Verbreitung:</u> Von den Pyrenäen durch die Alpen und osteuropäischen Gebirge bis Nordasien und Nordamerika; mit den Alpenflüssen bis ins Vorland.

2 Steirische Küchenschelle ⓢ

Pulsatilla halleri subsp. styriaca
(Hahnenfußgewächse)

Pulsatilla halleri subsp. halleri (Südwestalpen) und subsp. styriaca (Steiermark)

Bis 30 cm hohe, dicht und lang abstehend zottig behaarte Pflanze. Stengel 1blütig mit einem Quirl stark zerteilter Blätter. Grundblätter nach der Blüte erscheinend, langgestielt; Blattfläche voll entwickelt 5–12 cm lang, anfangs dicht, später locker langhaarig, unpaarig gefiedert, Fiedern nochmals zerteilt. Blüte aufrecht, 3–4 cm lang, mit 6 Perigonblättern, zunächst glockig, dann ausgebreitet, blau- bis rotviolett, außen lang seidenhaarig. Früchte seidig zottig behaart, mit bis 5 cm langem, federig behaartem Griffel.
<u>Blütezeit:</u> III–IV. <u>Standort:</u> Lichte Kiefernwälder, auf Kalk und Dolomit, von 400 bis 1650 m. <u>Verbreitung:</u> Endemit der steirischen Alpen (Murgebiet).

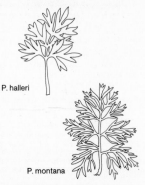

P. halleri

P. montana

Grundblätter

<u>Ähnliche Arten:</u> **Hallers Küchenschelle,** *P. halleri subsp. halleri* (Blattfläche 3–7 cm lang), von den Seealpen bis ins Wallis. **Berg-Küchenschelle,** *P. montana* (Blüten nickend, schwärzlich violett, außen dicht weißzottig behaart), in Trockenrasen auf Kalk, am Südalpenrand und in den inneralpinen Trockentälern.

1

2

1 Blauer Eisenhut ⑤ ⊞

Aconitum napellus
(Hahnenfußgewächse)

Bis 1,50 (2,00) m hohe Pflanze. Blätter bis zum Grund 5- bis 7teilig, mittlerer Abschnitt zur Hälfte oder mehr eingeschnitten, Blattoberseite meist kahl. Blütenstand mit einfachen Haaren, meist unverzweigt. Blüten tiefblau, 5 Blütenblätter, ungleich, das oberste als »Helm« ausgebildet, dieser breiter als hoch. Frucht 3 kahle Bälge.

Blütezeit: VI–X. Standort: Karfluren, Hochstaudengesellschaften, Lägerfluren, Bachufer und Schluchtwälder. Verbreitung: Ganz Europa, besonders in höheren Lagen.

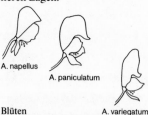

A. napellus

A. paniculatum

Blüten

A. variegatum

Ähnliche Arten: Burnats Eisenhut, *A. burnatii* (Blütenstand mit farblosen Drüsenhaaren, Blätter behaart), in den Südwestalpen. Schmalblättriger Eisenhut, *A. angustifolium* (Blüten hellblau, Blätter sehr fein zerteilt), in den Südostalpen. Gescheckter Eisenhut, *A. variegatum* (Blütenstand meist rispig, Helm zipfelmützenartig). Rispiger Eisenhut, *A. paniculatum* (Blütenstand rispig, oft drüsig behaart, Helm länger ausgezogen).

2 Hoher Rittersporn ⑤

Delphinium elatum
(Hahnenfußgewächse)

Bis 2,50 m hohe Pflanze, zerstreut behaart (rauhwandige, matte Haare gemischt mit flaschenförmigen Haaren; nur bei mindestens 20facher Vergrößerung erkennbar). Grundblätter fehlen zur Blütezeit; Stengelblätter kahl, 3- bis 7spaltig, nach oben kleiner, die obersten unzerteilt, lanzettlich. Blüten zygomorph, in einer lockeren Traube; 5 Perigonblätter, blau, die unteren 4 eiförmig, bis 2 cm lang, das oberste mit dickem, abwärts gebogenem Sporn; 4 Nektarblätter, nicht verwachsen, im Inneren der Blüte, oft schwarzbraun, weiß gebärtet, die beiden oberen mit Sporn; Balgfrüchte bis 1,5 cm lang, kahl. Blütezeit: VII–IX. Standort: Hochstauden- und Grünerlenfluren, Bachufer, Waldlichtungen. Verbreitung: Von den französischen Alpen bis Sibirien und Zentralasien.

Ähnliche Art: Zweifelhafter Rittersporn, *D. dubium* (Behaarung mit glatten, glänzenden Haaren), von den Seealpen am Südalpenrand bis zu den Venezianischen Alpen.

3 Blaue Gänsekresse

Arabis caerulea
(Kreuzblütler)

Bis 10 cm hohe Pflanze; Stengel aufrecht, mit einfachen und gegabelten Haaren. Grundblätter rosettenartig genähert, schmal spatelförmig, allmählich in den Stiel verschmälert, vorne 3- bis 7zähnig, am Rand und am Stiel von einfachen Haaren gewimpert, dicklich, glänzend; Stengelblätter elliptisch bis schmal spatelig, die unteren gezähnt, die oberen meist ganzrandig. Kronblätter hell lilablau mit weißlichem Rand, 4–5 mm lang. Schoten bis 3 cm lang, bis 3 mm breit, Fruchtklappen mit deutlichem Mittelnerv und undeutlichen Seitennerven.

Blütezeit: VI–IX. Standort: Feuchter Felsschutt, Schneetälchen; stets auf Kalk; meist nur über 2000 m. Verbreitung: Endemische Art der Alpen; nirgendwo häufig.

1 Alpen-Tragant

Astragalus alpinus
(Schmetterlingsblütler)

Bis 30 cm hohe Pflanze, anfangs von einfachen, anliegenden Haaren grau. Blätter gefiedert, oberseits kahl, mit 15–25 elliptischen, stumpfen Blättchen; Nebenblätter eiförmig, häutig. Blüten nickend; Kronblätter weiß und violett gescheckt, Schiffchen stumpf, Hülsen nickend, etwas aufgeblasen, mit kurzen dunklen Haaren. <u>Blütezeit</u>: VII–VIII. <u>Standort</u>: Rasen auf kalkhaltigen Böden; meist über 1500 m. <u>Verbreitung</u>: Alpen; Hochgebirge Europas und Asiens, Arktis.
Ähnliche Art: **Südlicher Tragant,** *A. australis* (Blätter mit 9–17 spitzen Blättchen, Blüten weißlich mit violetter Schiffchenspitze).

2 Julischer Lein

Linum alpinum subsp. julicum
(Leingewächse)

Bis 30 cm hohe, kahle Pflanze mit aufrechtem, unten dicht bebblättertem Stengel und locker bebblätterten, nichtblühenden Trieben. Blätter wechselständig, schmal lanzettlich. Knospen nickend, Blüten bis 4 cm breit; Kelchblätter lanzettlich, 3nervig, alle gleich groß. Fruchtstiele aufrecht; Kapsel 6–8 mm lang. <u>Blütezeit</u>: VII–VIII. <u>Standort</u>: Felsschutt, lückige Rasen; auf Kalk; meist über 1500 m. <u>Verbreitung</u>: Süd- und Südwestalpen. <u>Hinweis</u>: Ähnliche Sippen in anderen Alpengebieten.

3 Alpen-Kreuzblümchen

Polygala alpina
(Kreuzblümchengewächse)

Bis 6 cm hohe, kahle Pflanze. Untere Blätter wechselständig, rosettenartig angeordnet, die oberen kürzer, über der Mitte am breitesten. Mitteltrieb der Rosette ohne Blüten, Blütenstände an den Seitentrieben. Blüten 3,5–4,5 mm lang; Tragblätter 0,5–1 mm lang; Flügel länglich, die Seitennerven kaum verzweigt; Krone mit vielspaltigem Anhängsel.

Polygala alpina

<u>Blütezeit</u>: V–VIII. <u>Standort</u>: Trockene Rasen, auf Kalk; 1500 bis über 2000 m. <u>Verbreitung</u>: West- und Südwestalpen, ostwärts bis Graubünden und Südtirol.

4 Pfennigblättriges Veilchen

Viola nummariifolia
(Veilchengewächse)

Bis 5 cm hohe, kahle Pflanze. Blätter breit eiförmig bis kreisrund, 1–2 cm lang, ganzrandig, Blattstiel etwa so lang wie die Blattfläche; Nebenblätter lanzettlich, spitz, die unteren ganzrandig, die oberen etwas gezähnt.

V. nummariifolia

Blüte und Stengelausschnitt mit Nebenblatt und Blattstiel

Blüten 1 cm hoch, hellblau; Sporn 1,5–3 mm lang, gelblich, stumpf; Kelchblätter 4–6 mm lang, lanzettlich, oft stumpf. <u>Blütezeit</u>: VII–IX. <u>Standort</u>: Schneetälchen, lange schneebedeckter Felsschutt; stets auf Silikat; von 1500 bis über 2500 m. <u>Verbreitung</u>: Seealpen, Korsika.

1 Langsporniges Veilchen ⓢ

Viola calcarata subsp. calcarata
(Veilchengewächse)

Bis 10 cm hohe, kahle bis zerstreut behaarte Pflanze; Stengel oft sehr kurz, am Grund beblättert. Blätter meist rosettenartig gedrängt, alle gleich, eiförmig bis lanzettlich, gekerbt; Nebenblätter höchstens so lang wie der Blattstiel, am Grund meist mit 1–2 breiten, groben Zähnen, nicht mit dem Blattstiel verwachsen. Blüten 2,5–4 cm lang; Kronblätter dunkelviolett, selten gelb oder weiß; Sporn 8–15 mm lang, gerade oder etwas aufwärts gebogen.

subsp. calcarata

subsp. villarsiana

subsp. cavillieri

Blüte und Stengelausschnitte mit Nebenblättern und Blattstielen

<u>Blütezeit:</u> V–IX. <u>Standort:</u> Rasen, Felsschutt; auf kalkhaltigen Böden; von etwa 1500 bis über 3000 m. <u>Verbreitung:</u> In den Nordalpen von Savoyen bis Westtirol und Allgäu.
<u>Ähnliche Arten:</u> **Zoys' Veilchen,** *V. calcarata subsp. zoysii* (Nebenblätter meist ganzrandig, Kronblätter stets gelb), von den Karawanken bis Montenegro. **Villars Veilchen,** *V. calcarata subsp. villarsiana* (Nebenblätter mit 2–4 seitlichen Abschnitten, Kronblätter blauviolett, gelb, weißlich oder gescheckt), in den Südwestalpen, meist auf sauren Böden. **Cavilliers Veilchen,** *V. calcarata subsp. cavillieri* (Nebenblätter fiederteilig, seitliche Abschnitte sehr schmal), vom Mont Cenis bis zum Nordapennin. **Alpen-Veilchen,** *V. alpina* (Pflanze stengellos, Sporn 3–4 mm lang, Nebenblätter ganzrandig, bis zur Hälfte mit dem Blattstiel verwachsen), nur auf Kalk, in den österreichischen Alpen von der Traun nach Osten.

2 Dubys Veilchen

Viola dubyana
(Veilchengewächse)

Bis 20 cm hohe, kahle oder zerstreut behaarte Pflanze. Blätter gestielt, die unteren breit eiförmig mit gekerbtem Rand, die mittleren und oberen schmal lanzettlich bis linealisch, fast ganzrandig; Nebenblätter oft fast bis zum Grund in 5–7 linealische Abschnitte zerteilt. Blüten etwa 2 cm hoch; Sporn etwa 5–6 mm lang, gerade.
<u>Blütezeit:</u> V–VII. <u>Standort:</u> Felsschutt, lückige Rasen und Felsspalten; stets auf Kalk; von 1500 bis über 2000 m. <u>Verbreitung:</u> Südalpen vom Monte Baldo bis zum Comer See.
<u>Ähnliche Art:</u> **Valdieri-Veilchen,** *V. valderia* (Sporn 7–10 mm lang, Kronblätter hell rötlichviolett, Pflanze dicht kurzhaarig), auf Silikat, in den Seealpen.

3 Fieder-Veilchen ⓢ

Viola pinnata
(Veilchengewächse)

Bis 10 cm hohe, stengellose Pflanze. Blätter langgestielt, fast bis zum Grund 3- bis 5teilig mit tief eingeschnittenen Abschnitten; Nebenblätter lanzettlich, bis zur Hälfte mit dem Blattstiel verwachsen. Blüten etwa 1,5 cm hoch, duftend; Kelchblätter schmal eiförmig, stumpf.
<u>Blütezeit:</u> IV–VI. <u>Standort:</u> Felsschutt, Felsspalten, lückige Rasen, lichte Wälder; stets auf kalkhaltigen Böden; von Tallagen bis über 2000 m. <u>Verbreitung:</u> Von den Basses-Alpes bis zu den Karawanken und Julischen Alpen; fehlt in Deutschland.

2|3

1 Pyrenäen-Veilchen

Viola pyrenaica
(Veilchengewächse)

Bis 10 cm hohe, zerstreut behaarte bis fast kahle Pflanze ohne Ausläufer und ohne Stengel. Blätter breit eiförmig, bis 3 cm lang, zugespitzt, mit herzförmigem Grund und gezähntem Rand; Nebenblätter bis 1,5 cm lang, lanzettlich, gefranst. Blüten bis 2 cm hoch, duftend; Kronblätter in der vorderen Hälfte hell blauviolett, in der unteren Hälfte weiß; Sporn weißlich, stumpf, kaum länger als die Kelchblattanhängsel; Kelchblätter 4–6 mm lang, kahl. Frucht kahl.
Blütezeit: III–VII. Standort: Felsschutt, Felsspalten, Rasen, Gebüsche; vorwiegend auf Kalk; von 1000 bis 2000 m. Verbreitung: Von den Seealpen bis Kärnten, fehlt in Deutschland; Nordspanien, Pyrenäen, Balkanhalbinsel, Kaukasus.
Hinweis: Viele ähnliche Arten.

2 Alpen-Mannstreu ⓢ

Eryngium alpinum
(Doldengewächse)

Eryngium alpinum

Bis 1 m hohe, kahle Pflanze. Grundblätter bis 20 cm lang, breit eiförmig mit herzförmigem Grund, spitz gezähnt; Stengelblätter nach oben zunehmend tiefer zerteilt. Blütenstand kurz walzenförmig, bis 5 cm lang, stahlblau bis blauviolett, von fiederteiligen, weichdornigen Hüllblättern umgeben; Kronblätter bläulich weiß.

Blütezeit: VII–VIII. Standort: Hochstaudenfluren, feuchte R sen; stets auf Kalk; meist üb 1500 m. Verbreitung: Von d Seealpen bis Vorarlberg, bis den Karawanken und Julischen Alpen, mit großen Verbreitungslücken; nördliche Balkanhalbinsel.
Hinweis: Weitere Arten in tieferen Lagen der Alpen.

3 Klebrige Primel ⓢ

Primula glutinosa
(Primelgewächse)

Bis 10 cm hohe Pflanze. Blätter bis 6 cm lang, matt glänzend, oberseits dunkel punktiert, vorn meist gezähnt, sehr klebrig. Blüten einzeln oder bis zu 7, duftend, anfangs dunkel blauviolett, später schmutzigviolett, beim Verblühen lila; Kronzipfel tief eingebuchtet.
Blütezeit: VII–VIII. Standort: Feuchter Felsschutt, Weidenspaliere, Krumseggenrasen; auf kalkarmen Böden; von 1600 bis über 3000 m. Verbreitung: Ostalpen; von Graubünden bis zur Koralpe.

4 Gewelltrandige Primel ⓢ

Primula marginata
(Primelgewächse)

Bis 10 cm hohe Pflanze mit fleischigen, bis 10 cm langen, geschweift gezähnten, oft etwas mehligen Blättern, Blattrand nicht knorpelig, aber dicht mehlig. Krone bläulichviolett oder rosaviolett mit weißmehligem Ring im Schlund, bis 2 cm breit.
Blütezeit: V–VII. Standort: Felsspalten; auf Kalk und Schiefer; von etwa 500 bis um 2000 m. Verbreitung: Südwestalpen.

1 Echtes Alpenglöckchen

Soldanella alpina
(Primelgewächse)

5–15 cm hohe Pflanze mit rundlichen Blättern; junge Blatt- und Blütenstiele mit sitzenden Drüsen, später kahl; Krone trichterförmig, bis zur Mitte oder darüber hinaus gefranst; Schlundschuppen klein, breiter als lang. Blütezeit: IV–VI. Standort: Feuchte Böden, Rasen; vorwiegend auf Kalk; von Tallagen bis 3000 m. Verbreitung: Alpen; Pyrenäen, Auvergne, Jura, Schwarzwald, Apennin, Balkan.

S. alpina

Krone und Schlundschuppen

Ähnliche Arten: **Berg-Alpenglöckchen,** *S. montana* (junge Blatt- und Blütenstiele dicht mit bis 0,5 mm lang gestielten Drüsen besetzt, Schlundschuppen 2spaltig, länger als breit), auf kalkarmen Böden, vom Tegernsee und Böhmerwald ostwärts. **Kleines Alpenglöckchen,** *S. pusilla* (Krone hell rötlichviolett, höchstens auf ⅓ geteilt, Schlund ohne Schuppen), auf kalkarmen, feuchten Böden, meist über 2000 m, von der Schweiz bis Jugoslawien; Südkarpaten, Nordapennin, Südwestbulgarien.

2 Schwalbenwurz-Enzian ⓢ

Gentiana asclepiadea
(Enziangewächse)

Bis 1 m hohe Pflanze. Blätter lanzettlich bis eiförmig, zugespitzt, sitzend, 5nervig. Blüten einzeln oder zu mehreren in den Blattachseln; Krone bis 5 cm lang, innen meist mit violetten Punkten, 5lappig mit kurzen Zipfeln, Kelch mit 5 kurzen, schmal lanzettlichen Kelchzipfeln.

Blütezeit: VIII–X. Standort: Flachmoore, feuchte Wiesen, Hochstaudenfluren, Grünerlengebüsche; vorzugsweise auf Kalk. Verbreitung: Mittel- und südeuropäische Gebirge bis ins Vorland, Kaukasus.
Ähnliche Arten: **Kreuz-Enzian,** *G. cruciata* (Kelch und Krone 4teilig, Krone 2–3 cm lang), auf trockenen, kalkhaltigen Böden, bis gegen 2000 m. **Lungen-Enzian,** *G. pneumonanthe* (Blätter linealisch, meist 1nervig, mit umgerolltem Rand), in Flachmooren und nassen Wiesen, selten bis 1000 m.

3 Breitblättriger Enzian ⓢ

Gentiana acaulis
(Enziangewächse)

Bis 10 cm hohe Pflanze mit zur Blütezeit sehr kurzem Stengel. Grundblätter lanzettlich, bis 10 cm lang, 3- bis 5mal so lang wie breit, Stengelblätter viel kleiner. Blüten einzeln; Krone blau, 5–6 cm lang, schmal glockenförmig, innen mit grünen Flecken oder Streifen, kurz 5lappig, Kronzipfel 3eckig, ausgebreitet, dazwischen je 1 breiter, stumpfer Zahn; Kelchzipfel aufrecht, zur Basis hin verschmälert, im oberen Teil eiförmig, zugespitzt, 2½- bis 3½mal so lang wie breit, Buchten zwischen den Kelchzipfeln mit deutlicher Verbindungshaut.
Blütezeit: V–VIII. Standort: Felshänge, Rasen, Weiden; auf Kalk; vorwiegend über 1000 m. Verbreitung: Hauptsächlich in den Zentralalpen; Pyrenäen, Karpaten, Balkanhalbinsel.
Ähnliche Art: **Stengelloser Enzian,** *G. clusii* (Krone innen ohne grüne Flecken oder Streifen, Kelchzipfel 3eckig, an der Basis am breitesten, Buchten dazwischen mit kaum sichtbarer Verbindungshaut), auf Kalk, vor allem in den Außenketten der Alpen.

1 Bayerischer Enzian Ⓢ

Gentiana bavarica
(Enziangewächse)

Bis 20 cm hohe Pflanze mit dicht beblätterten, blütenlosen Trieben und mehrblätterigen, 1blütigen Stengeln. Blätter verkehrt eiförmig, stumpf, alle etwa gleich groß, mit glattem Knorpelrand. Krone 2–3 cm breit, mit ausgebreiteten, stumpfen Kronzipfeln; Kelch röhrenförmig, sehr schmal geflügelt.
Blütezeit: VII–IX. Standort: Quellfluren, Zwergweidenspaliere, offene Rasenbestände; vorwiegend auf Kalk. Verbreitung: Nur in den Alpen.
Ähnliche Arten: **Kurzstengeliger Enzian**, *G. bavarica var. subacaulis* (Blätter fast kreisrund, dicht gedrängt, Pflanze fast stengellos), in Schneetälchen. **Rostans Enzian**, *G. rostanii* (Blätter schmal eiförmig, ohne Knorpelrand, die untersten Stengelblätter oft gedrängt, größer als die oberen), in den West- und Südwestalpen von Frankreich und Italien.

2 Schnee-Enzian Ⓢ

Gentiana nivalis
(Enziangewächse)

Bis 15 cm hohe Pflanze ohne nichtblühende Triebe; Stengel oft vom Grund an verzweigt. Grundblätter eiförmig, stumpf, Stengelblätter lanzettlich, spitz. Blüten an den Enden der Äste; Kelch bis ⅔ so lang wie die Kronröhre, Kelchröhre mit Kanten, aber nicht geflügelt; Krone bis 1,5 cm breit, leuchtend blau.
Blütezeit: VI–VIII. Standort: Offene Rasenbestände, besonders in Südlage; meist auf kalkhaltigen Böden; stets über 1500 m. Verbreitung: Von den Pyrenäen durch Alpen und Jura bis zu den Karpaten, zur Balkanhalbinsel und nach Kleinasien; Nordeuropa, arktisches Nordamerika.

3 Niederliegender Enzian Ⓢ

Gentiana prostrata
(Enziangewächse)

Bis 5 cm hohe, kahle Pflanze ohne nichtblühende Triebe; Stengel niederliegend-aufsteigend, beblättert. Untere Blätter gedrängt, am Grund kurz verwachsen, verkehrt eiförmig, bis 1 cm lang, 5 mm breit, stumpf. Blüten einzeln am Stengelende, 5zählig; Krone 1–2 cm lang, hellblau, röhrenförmig, Kronzipfel sternartig ausgebreitet, etwa 5 mm lang, zwischen den Kronzipfeln jeweils ein fast gleich großer 3eckiger Zahn; Kelch röhrenförmig.
Blütezeit: VII–VIII. Standort: Lückige Rasen, ruhender Felsschutt; meist über 2000 m. Verbreitung: Von den östlichen Stubaier Alpen und dem Etschtal ostwärts, weiter westlich nur vereinzelt; Zentral- und Nordasien, arktisches Nordamerika, Anden.

4 Frühlings-Enzian Ⓢ

Gentiana verna
(Enziangewächse)

Bis 15 cm hohe Pflanze mit sehr kurzen Blütenstengeln. Grundblätter breit lanzettlich, spitz, bis 3 cm lang, viel größer als die wenigen Stengelblätter, am Rand meist papillös. Kelch an den Kanten schmal geflügelt; Krone tiefblau, mit ziemlich breiter Röhre und ausgebreiteten Kronzipfeln.
Blütezeit: III–VIII. Standort: Felsschutt, lückige Rasen; fast immer auf Kalk. Verbreitung: Kalkgebiete der Alpen; Gebirge von Spanien bis zur Mongolei, in Mitteleuropa auch im Alpenvorland und in den Mittelgebirgen.
Hinweis: In den Alpen noch mehrere, schwer zu unterscheidende Arten.

1 Zwerg-Enzian Ⓢ

Gentianella (Gentiana) nana
(Enziangewächse)

Bis 5 cm hohe, kahle Pflanze mit von Grund an verzweigtem Stengel. Grundblätter elliptisch, zur Blütezeit verwelkt; am Stengel meist nur ein Blattpaar; Blüten 5- oder 4zählig; Krone blauviolett bis hell-lila, gelegentlich weiß, Kronröhre kurz und breit, 3–7 mm lang, 1- bis 2mal so lang wie breit, mit gefransten Schlundschuppen; Kronzipfel eiförmig, waagerecht abstehend; Kelch kurz und breit glockenförmig, Kelchzähne breit eiförmig. Blütezeit: VII–IX. Standort: Feuchte Böden auf Silikat; nur über 2000 m. Verbreitung: In den Zentralalpen von Tirol, Salzburg, Kärnten.
Ähnliche Art: Zarter Enzian, *G. tenella* (Kronröhre 2- bis 4mal so lang wie breit, Kronzipfel breit lanzettlich, zugespitzt, aufrecht abstehend), in lückigen Rasen, meist über 2000 m, von Spanien bis zu den Karpaten, in der Arktis.

2 Gefranster Enzian Ⓢ

Gentianella (Gentiana) ciliata
(Enziangewächse)

Bis 30 cm hohe, kahle Pflanze. Grundblätter spatelförmig, stumpf; Stengelblätter lanzettlich, spitz. Blüten 4zählig, bis 5 cm lang, mit blauer, bis zur Mitte gespaltener, im Schlund bärtiger Krone; Kronblätter eiförmig, am Rand lang gefranst; Kelch bis halb so lang wie die Kronröhre, mit schmalen Kelchblättern. Blütezeit: VIII–XI. Standort: Lückige Rasen, Almweiden, Gebüsche, Waldwiesen; auf Kalk; bis über 2000 m. Verbreitung: In den Alpen verbreitet; Mittel- und Südeuropa, Kaukasus, Kleinasien.

3 Tauernblümchen

Lomatogonium carinthiacum
(Enziangewächse)

Bis 15 cm hohe, kahle Pflanze. Grundblätter spatelförmig, stumpf; obere Stengelblätter spitz. Blüten einzeln auf langen, unbeblätterten Stielen; Kelch wie Krone tief 5teilig; Krone bis 1,5 cm breit, blaßblau oder weißlich; Narben sitzend, an den Nähten des 1fächerigen, länglichen Fruchtknotens herablaufend. Blütezeit: VIII–X. Standort: Rasen, ruhender Felsschutt; auf kalkhaltigen und kalkfreien Böden. Verbreitung: Alpen von den Tauern nach Westen bis ins Wallis; Karpaten, Kaukasus bis Sibirien, Nordamerika.

4 Blaues Sperrkraut Ⓢ

Polemonium caeruleum
(Sperrkrautgewächse)

Bis 1 m hohe Pflanze. Blätter unpaarig gefiedert, Teilblättchen schmal elliptisch, ganzrandig. Blüten aktinomorph; Blütenstiele drüsig behaart; Krone etwa 2 cm breit, fast radförmig ausgebreitet mit kurzer, trichterförmiger Röhre; Kelch bis zur Mitte zerteilt, glockenförmig; Staubblätter und Griffel aus der Blüte ragend. Blütezeit: VI–IX. Standort: Bachufer, Hochstaudenfluren, Gebüsche. Verbreitung: Weite Gebiete Europas und Asiens, in den Alpen zerstreut.

1 Gebirgs-Vergißmeinnicht

Myosotis alpestris
(Rauhblattgewächse)

Bis 30 cm hohe Pflanze; Stengel zumindest unten rauhhaarig; Stengelblätter sitzend, eiförmig bis linealisch. Blüten ohne Tragblätter; Kelch zur Fruchtzeit bis 7 mm lang, in den Stiel verschmälert, nicht abfallend, bis über die Hälfte zerteilt, ohne oder mit hakenförmig gebogenen Borsten (Hakenhaaren), aber stets dicht behaart; Kronsaum flach ausgebreitet, bis 9 mm breit. Teilfrüchte stumpf, bis 2,5 mm lang, gegen die Spitze hin mit verbreitertem, abgesetztem, glattem Rand, schwarz glänzend.
Blütezeit: V–IX. Standort: Ruhender Felsschutt, lückige Rasen; über 1500 m. Verbreitung: In den Alpen häufig; Gebirge Europas.

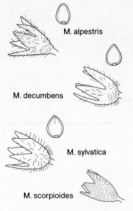

M. alpestris

M. decumbens

M. sylvatica

M. scorpioides

Kelche und Teilfrüchte

Ähnliche Arten: **Wald-Vergißmeinnicht,** *M. sylvatica* (Teilfrüchte spitz, höchstens 1,8 mm lang, Kelch am Grund abgerundet, zur Fruchtzeit oft abfallend, Hakenhaare 0,2 mm lang, weich), in Wiesen, Grünerlengebüschen und Bergwäldern, bis um 1500 m.

Niederliegendes Vergißmeinnicht, *M. decumbens* (Teilfrüchte spitz, Kelch am Grund abgerundet, zur Fruchtzeit oft abfallend, Hakenhaare 0,4 mm lang, steif), an Bachufern, in Hochstaudenfluren und Bergwäldern. **Sumpf-Vergißmeinnicht,** *M. scorpioides* (Kelch nur mit geraden, in Richtung zur Kelchspitze angepreßten Borstenhaaren, höchstens zur Hälfte zerteilt), an Bachufern und in nassen Wiesen.

2 Zwerg-Himmelsherold Ⓢ

Eritrichium nanum
(Rauhblattgewächse)

Eritrichium nanum

Bis 5 cm hohe, seidig glänzend behaarte, in Polstern wachsende Pflanze mit zahlreichen nichtblühenden Rosetten. Blätter lanzettlich bis spatelförmig. Jede Blüte mit Tragblatt; Krone 5–8 mm breit, leuchtend blau, vergißmeinnichtartig, zart duftend; Kelch etwa 5 mm lang, fast bis zum Grund 5teilig, Teilfrüchte ca. 2 mm lang, mit geflügeltem und gezähntem Rand.
Blütezeit: VII–VIII. Standort: Felsspalten, Felsschutt und lückige Rasen; meist auf Silikat, gelegentlich auf Dolomit; meist über 2500 m. Verbreitung: Von den Seealpen bis zu den Karawanken und Niederen Tauern; selten.

1

2

1 Südalpen-Lungenkraut

Pulmonaria australis
(Rauhblattgewächse)

Pulmonaria australis

Bis 40 cm hohe, weichborstige Pflanze. Blätter weich, die Sommerblätter wie der Stengel mit deutlich verschieden langen Borsten, zahlreichen sehr kleinen Drüsen und oft wenigen Stieldrüsen; Grundblätter bis 30 cm lang, fast immer ohne Flecken, schmal bis sehr schmal eiförmig-lanzettlich, allmählich in den Stiel verschmälert; Stengelblätter schmal eiförmig, spitz, sitzend. Blütenstand borstig und zerstreut drüsig; Krone blauviolett, Kronsaum innen kahl oder mit vereinzelten kurzen Haaren, im Schlund mit Haarring; Kelch breit röhrenförmig-glockig.
Blütezeit: V–VIII. Standort: Rasen, Zwergstrauchbestände, Latschengebüsche, Bergwälder. Verbreitung: Südalpen, von den Dolomiten bis ins Tessin; nordwestliches Jugoslawien, Wienerwald. Hinweis: In den Alpen, vorwiegend in tieferen Lagen, gibt es noch zahlreiche weitere Lungenkraut-Arten, deren Bestimmung nicht immer leicht ist. Für die Bestimmung ist die Behaarung der Sommerblätter wichtig.

2 Pyrenäen-Drachenmaul

Horminum pyrenaicum
(Lippenblütler)

Bis 50 cm hohe, kurzhaarige Pflanze. Blätter fast alle grundständig, eiförmig, stumpf, gekerbt, mit etwas blasig gewellter Oberfläche; Stengelblätter viel kleiner, ganzrandig. Blüten kräftig blauviolett, selten weiß, in endständigem, einseitswendigem Blütenstand; Krone bis 2 cm lang, doppelt so lang wie der Kelch.
Blütezeit: VI–IX. Standort: Trockene Rasen, ruhender Felsschutt, lückige Latschengebüsche, lichte Bergwälder; nur Kalk; von 1000 bis über 2000 m. Verbreitung:

Horminum pyrenaicum

Von den Pyrenäen bis in die Julischen Alpen; in den Südalpen recht zerstreut, in den Nordalpen selten.

3 Alpen-Steinquendel

Acinos alpinus
(Lippenblütler)

Bis 30 cm hohe, schwach behaarte Pflanze. Blätter eiförmig, kurzgestielt, vorne gezähnt. Blüten in wenigen Scheinquirlen übereinander; Krone 1,5–2 cm lang, kräftig violett, selten blasser, viel länger als der Kelch; Kelch röhrenförmig, 13nervig, in der unteren Hälfte erweitert, über der Mitte verengt.
Blütezeit: VI–X. Standort: Felsschutt, lückige Rasen, lichte Latschengebüsche; vorwiegend auf Kalk; bis über 2000 m. Verbreitung: In den Kalkgebieten der Alpen häufig; von Nordafrika bis Kleinasien.

1 Gemeine Braunelle

Prunella vulgaris
(Lippenblütler)

Bis 40 cm hohe, spärlich behaarte Pflanze. Blätter gestielt, eiförmig; Grundblätter in Rosetten; das oberste Stengelblattpaar dicht unter dem Blütenstand. Blüten am Ende des Stengels dicht gedrängt, bis 18 mm lang.
<u>Blütezeit</u>: VI–IX. <u>Standort</u>: Wiesen, Weiden, lichte Wälder. <u>Verbreitung</u>: Alpen; Europa; fast weltweit verschleppt.
<u>Ähnliche Art</u>: **Große Braunelle**, *P. grandiflora* (Krone 2–3 cm lang, oberstes Stengelblatt vom Blütenstand entfernt).

2 Alpen-Helmkraut

Scutellaria alpina subsp. alpina
(Lippenblütler)

Scutellaria alpina

Bis 30 cm hohe, behaarte Pflanze. Blätter eiförmig, gezähnt. Blüten gestielt; Tragblätter länger als der Kelch, eiförmig; Krone 2–3 cm lang, mit drüsig behaarter Röhre; Kelch röhrenförmig, 2lippig, am Rücken mit einer aufrechten Schuppe.
<u>Blütezeit</u>: VI–VIII. <u>Standort</u>: Felsschutt und lückige Rasen; stets auf Kalk; bis 2500 m. <u>Verbreitung</u>: West- und Südalpen; Gebirge Südeuropas.

3 Pyramiden-Günsel

Ajuga pyramidalis
(Lippenblütler)

Bis 20 cm hohe Pflanze ohne Ausläufer. Grundblätter in Rosetten, verkehrt eiförmig, am Rand gekerbt; Stengelblätter dicht stehend, fast ganzrandig, etwa doppelt so lang wie die Blüten. Blüten bis 2 cm lang, mit sehr kurzer Oberlippe.
<u>Blütezeit</u>: VI–IX. <u>Standort</u>: Magerwiesen, Almweiden; auf kalkarmen Böden; bis über 2000 m.
<u>Verbreitung</u>: In den Alpen häufig; Gebirge Europas.
<u>Ähnliche Arten</u>: **Genfer Günsel**, *A. genevensis* (Stengelblätter entfernt stehend, die oberen deutlich gezähnt, etwa so lang wie die Blüten). **Kriechender Günsel**, *A. reptans* (Pflanze mit Ausläufern, obere Stengelblätter ganzrandig).

4 Berg-Drachenkopf ⑤

Dracocephalum ruyschiana
(Lippenblütler)

Bis 30 cm hohe Pflanze. Stengel meist unverzweigt, kahl oder abwechselnd auf 2 gegenüberliegenden Seiten kurzhaarig. Blätter schmal, unzerteilt, ganzrandig. Blüten kurz gestielt; Krone 2,5–3 cm lang, Oberlippe ganzrandig, behaart, Unterlippe 3teilig; Kelch 1–1,3 cm lang, 15nervig, 2lippig, kurzhaarig.
<u>Blütezeit</u>: VII–VIII. <u>Standort</u>: Trockene Rasen, lichte Föhrenwälder; von 1500 bis 2000 m. <u>Verbreitung</u>: In den Alpen von Vorarlberg und vom Vintschgau nach Westen; Teile Europas.
<u>Ähnliche Art</u>: **Österreichischer Drachenkopf**, *D. austriacum* (Blätter fast bis zur Mittelrippe fiederteilig, Krone 3,5–4,5 cm lang), auf kalkhaltigen Böden, meist in tieferen Lagen der zentralalpinen Trockentäler und der Südwestalpen.

1 Alpen-Leinkraut

Linaria alpina
(Braunwurzgewächse)

Bis 15 cm hohe, kahle Pflanze mit vielen niederliegenden Trieben. Blätter klein, blaugrün, linealisch, dick, quirlständig. Blüten in endständiger Traube; Krone blauviolett mit gelbem oder rotem Gaumenfleck, seltener einfarbig, mit langem Sporn.
Blütezeit: VI–IX. Standort: Felsschutt aller Art, seltener Pionierrasengesellschaften. Verbreitung: Alpen; von den spanischen Gebirgen bis zur Balkanhalbinsel.

2 Kärntner Kühtritt ⓢ

Wulfenia carinthiaca
(Braunwurzgewächse)

Bis 40 cm hohe, spärlich behaarte Pflanze; Stengel mit wenigen, fast schuppenartigen Blättern in der oberen Hälfte; Grundblätter in Rosetten, bis 15 cm lang, spatelförmig, gekerbt, dunkelgrün, glänzend, aufgerichtet. Blüten in dichter, einseitswendiger Traube am Ende des Stengels, bis 1,5 cm lang, sehr kurz gestielt; Kelch tief 5teilig, Kelchblätter schmal lanzettlich, spitz; Krone blauviolett, 2lippig, im Schlund bärtig.
Blütezeit: VII–VIII. Standort: Almweiden, Alpenrosengebüsch. Verbreitung: Als berühmtes Relikt aus dem Tertiär in Kärnten am Gartnerkofel; außerdem noch in Montenegro.

3 Blaues Mänderle

Paederota bonarota
(Braunwurzgewächse)

Bis 20 cm hohe, oft hängende, meist mehrstengelige, gekräuselt kurzhaarige Pflanze. Blätter fast kreisförmig bis schmal eiförmig, sehr kurzgestielt, fast kahl mit höchstens 9 Zähnen auf jeder Seite. Blütenstand anfangs dicht, zur Fruchtzeit etwas verlängert; Kelch ungleich 5lappig; Krone

blau, 1–1,3 cm lang, 2lappig mit zylindrischer Röhre, Oberlippe meist ungeteilt, aufrecht, Unterlippe 3lappig, abstehend; 2 Staubfäden, die aus der Kronröhre ragen; Kapsel nicht zusammengedrückt.

Paederota bonarota

Blütezeit: VI–VIII. Standort: Felsspalten; nur auf Kalk oder Dolomit; bis 2500 m. Verbreitung: Von den Bergamasker bis zu den Julischen Alpen; Nordtirol, Salzburger Alpen.

2|3

1 Blattloser Ehrenpreis

Veronica aphylla
(Braunwurzgewächse)

Bis 5 cm hohe Pflanze. Blätter länglich, undeutlich gekerbt, in einer lockeren Rosette. Blüten in langgestielten, kurzen Ähren; Krone bis 8 mm breit, flach ausgebreitet; 2 Staubblätter; Kapsel reif bläulichrot, länger als der Kelch. Blütezeit: V–VIII. Standort: Felsspalten, ruhender Felsschutt, Rasen; auf Kalk; meist über 1500 m. Verbreitung: Kalkgebiete der Alpen; Gebirge Europas.

2 Felsen-Ehrenpreis

Veronica fruticans
(Braunwurzgewächse)

5–15 cm hohe Pflanze mit verzweigtem, etwas verholzendem Stengel. Blätter gekerbt. Krone ausgebreitet; 2 Staubblätter; Kelch, Blütenstiele und Frucht behaart, aber ohne Drüsen. Blütezeit: V–VIII. Standort: Felsspalten, steinige Rasenbestände; auf Kalk; bis über 2500 m. Verbreitung: Alpen; Gebirge Europas.

3 Allionis Ehrenpreis

Veronica allionii
(Braunwurzgewächse)

Bis 10 cm hohe Pflanze mit niederliegendem, kahlem Stengel. Blätter bis 1,5 cm lang, lederig derb, undeutlich gezähnt, kahl. Blüten in gestielten Blütenständen; Krone 7–9 mm breit; 2 Staubblätter; Kelch 4teilig; Kapsel 2–3 mm lang, länger als breit. Blütezeit: VI–VIII. Standort: Steinige Rasenhänge, lichte Bergwälder; auf kalkarmen Böden; meist über 1500 m. Verbreitung: Südwestalpen.

4 Alpen-Ehrenpreis

Veronica alpina
(Braunwurzgewächse)

Bis 20 cm hohe Pflanze; obere Stengelblätter größer als die unteren. Blüten in dichten Blütenständen direkt über den oberen Stengelblättern; Krone 5–7 mm breit, 2 Staubblätter; Kelch meist 5teilig, wie die Blütenstiele zerstreut behaart; Kapsel kahl oder spärlich behaart. Blütezeit: VI–VIII. Standort: Kalkarme, lange schneebedeckte Böden, Rasen, Schneetälchen, Felsschutt; bis 3000 m. Verbreitung: Alpen; Gebirge Europas, Arktis. Ähnliche Art: **Maßliebchen-Ehrenpreis,** *V. bellidioides* (unterste Blätter viel größer als die oberen, Kelch wie die Blütenstiele drüsig behaart), vorwiegend in den Zentralalpen.

5 Gamander-Ehrenpreis

Veronica chamaedrys
(Braunwurzgewächse)

Bis 40 cm hohe Pflanze mit aufrechten, deutlich zweireihig behaarten, in einem Blattschopf endenden Stengeln. Blätter breit lanzettlich, kerbig gesägt bis eingeschnitten gezähnt. Blüten in langgestielten Ähren aus den Achseln der oberen Stengelblätter; Krone bis 1 cm breit; Kapsel gewimpert, kürzer als der Kelch. Blütezeit: V–IX. Standort: Lichte Bergwälder, Rasen, Lägerfluren, Hochstaudenfluren. Verbreitung: Fast ganz Europa; in den Alpen bis etwa 2000 m. Ähnliche Art: **Berg-Ehrenpreis,** *V. montana* (Stengel niederliegend, Krone blaß blaulila, Kapsel länger und breiter als der Kelch), in feuchten Berg-Laubwäldern.

1 Herzblättrige Kugelblume

Globularia cordifolia
(Kugelblumengewächse)

Bis 10 cm hoher, rasenbildender, immergrüner Spalierstrauch. Blätter bis 3 cm lang, gestielt, verkehrt eiförmig, vorne stumpf oder ausgerandet. Blüten klein, hell lilablau; Köpfe von kleinen, lanzettlichen Blättern umgeben; Krone 6–8 mm lang. <u>Blütezeit:</u> V–IX. <u>Standort:</u> Felsspalten, Felsschutt, Pionierrasen; auf Kalk; bis über 2000 m. <u>Verbreitung:</u> Kalkgebiete der Alpen, Alpenvorland, Gebirge Mittel- und Südeuropas.
<u>Ähnliche Arten:</u> **Südostalpen-Kugelblume**, *G. meridionalis* (Blätter spitz, 2–9 cm lang, 2,5 mm breit). **Kriechende Kugelblume**, *G. repens* (Blätter spitz, 1–2 cm lang, 1–2 mm breit, nach oben zusammengefaltet), in den Südwestalpen.

2 Dünnsporniges Fettkraut

Pinguicula leptoceras
(Wasserschlauchgewächse)

Bis 15 cm hohe Pflanze. Blätter gelbgrün, länglich, stumpf, am Rand wenig eingerollt, oberseits drüsig (Insektenfalle), in grundständiger Rosette. Blüten einzeln, lang gestielt; Krone mit Sporn 1,5–3 cm lang, blauviolett, Unterlippe weiß gefleckt; Sporn weniger als halb so lang wie der Rest der Krone, Lappen der unteren Lippe der Krone rundlich. <u>Blütezeit:</u> V–VI. <u>Standort:</u> Quellmoore, Bachufer, feuchter Felsschutt; von 1500 bis 3000 m. <u>Verbreitung:</u> Alpen, Nordapennin. <u>Hinweis:</u> Einige ähnliche Arten.

3 Scheuchzers Glockenblume

Campanula scheuchzeri
(Glockenblumengewächse)

5–30 cm hohe Pflanze. Stengel kahl, meist 1blütig. Grundblätter rundlich, mit herzförmigem Grund; Stengelblätter lanzettlich bis linealisch, ganzrandig, am Grund gewimpert. Blütenknospen nickend, Blüten bis 2,5 cm lang; Fruchtknoten kahl, Kelchzipfel etwa halb so lang wie die Krone, meist aufrecht abstehend. <u>Blütezeit:</u> VI–IX. <u>Standort:</u> Rasen, Zwergstrauchbestände, Bergwälder; bis über 3000 m. <u>Verbreitung:</u> Alpen, Pyrenäen, Jura, Schwarzwald, Apennin und Balkanhalbinsel.
<u>Hinweis:</u> Zahlreiche ähnliche Arten.

4 Zierliche Glockenblume

Campanula cochlearifolia
(Glockenblumengewächse)

Bis 20 cm hohe Pflanze. Grundblätter grob gezähnt, plötzlich in den Stiel übergehend; Stengelblätter länglich. Krone bis 2 cm lang, nickend, breitglockig. <u>Blütezeit:</u> VI–IX. <u>Standort:</u> Felsspalten, Felsschutt, lückige Rasen; meist auf Kalk; bis 3000 m. <u>Verbreitung:</u> Kalkgebiete der Alpen; von den Pyrenäen bis Bulgarien.

Campanula cespitosa

<u>Ähnliche Art:</u> **Rasen-Glockenblume**, *C. cespitosa* (Krone nach vorne schmäler, Blätter allmählich in den Blattstiel übergehend).

1

2|3

4

1 Insubrische Glockenblume

Campanula raineri
(Glockenblumengewächse)

Campanula raineri

Bis 10 cm hohe, lockerrasig wachsende Pflanze mit verzweigten, blühenden und nichtblühenden Trieben; Stengel meist 1blütig, kurzhaarig. Grundblätter eiförmig bis verkehrt eiförmig, entfernt gesägt, sehr kurz gestielt, fast kahl. Kelchzähne breit lanzettlich, gesägt, zugespitzt, halb so lang wie die Krone; Krone 3–4 cm lang, hellblau, breit becherförmig.
<u>Blütezeit:</u> VIII–IX. <u>Standort:</u> Felsspalten und Felsschutt; nur auf Kalk oder Dolomit; meist über 1500 m. <u>Verbreitung:</u> In den Südalpen zwischen Luganer See und Gardasee endemisch.

2 Zoys' Glockenblume ⓢ

Campanula zoysii
(Glockenblumengewächse)

Campanula zoysii

Kahle, oft in kleinen Polstern wachsende Pflanze; Stengel bis 10 cm hoch, aufrecht, wenigblütig. Blätter ganzrandig, die Grundblätter eiförmig bis verkehrt eiförmig, stumpf, gestielt; Stengelblätter eiförmig lanzettlich bis linealisch. Kelchzähne linealisch, pfriemlich, abstehend; Krone hell blauviolett, 1,5–2 cm lang, zylindrisch, am Grund etwas bauchig, an der Mündung zusammengezogen, durch die gefalteten Kronzipfel verschlossen. <u>Blütezeit:</u> VII–VIII. <u>Standort:</u> Kalkfelsspalten; fast immer über 1500 m. <u>Verbreitung:</u> Endemische Art der Julischen Alpen, Karawanken und Steiner Alpen.

3 Morettis Glockenblume

Campanula morettiana
(Glockenblumengewächse)

In lockeren Rasen oder Polstern wachsende, wenige Zentimeter hohe Pflanze; Stengel kurz, aufsteigend, 1- bis 2blütig. Grundblätter breit eiförmig, gezähnt, kurzhaarig, langgestielt; Stengelblätter eiförmig, am Grund verschmälert, gestielt, die obersten sitzend. Kelchzähne lanzettlich, abstehend, ⅕–¼ so lang wie die Krone; Krone 2–3 cm lang, dunkelblau, becherförmig.
<u>Blütezeit:</u> VII–IX. <u>Standort:</u> Felsspalten auf Kalk und Dolomit; über 1500 m. <u>Verbreitung:</u> In den Dolomiten endemisch.

1 Mont Cenis-Glockenblume

Campanula cenisia
(Glockenblumengewächse)

Lockerrasig wachsende Pflanze mit zahlreichen nichtblühenden und 3–5 cm hohen, blühenden Trieben. Blüten einzeln am Stengelende; Blätter länglich eiförmig, stumpf, ganzrandig. Kelch behaart, Kelchzähne lineal lanzettlich, halb so lang wie die Krone; Krone hellblau, 1,5 cm breit, glockig ausgebreitet.
Blütezeit: VII–IX. Standort: Felsschutt; vorwiegend auf Kalkschiefer; meist über 2000 m. Verbreitung: Hauptsächlich in den Zentralalpen, von Frankreich bis Tirol.

2 Ährige Glockenblume ⑤

Campanula spicata
(Glockenblumengewächse)

Bis 70 cm hohe, rauhhaarige Pflanze. Blätter lineal lanzettlich, zugespitzt. Blüten in einer langen, am Grund unterbrochenen Ähre; Kelchzähne eiförmig, zugespitzt, etwa ⅓ so lang wie die schmal becherförmige Krone; Krone 1,5–2,5 cm lang.
Blütezeit: VI–VIII. Standort: Trockene, steinige Bergwiesen. Verbreitung: Südalpen; Balkanhalbinsel.

3 Bärtige Glockenblume

Campanula barbata
(Glockenblumengewächse)

10–40 cm hohe Pflanze mit steifhaarigem Stengel. Grundständige Blätter rosettenartig gedrängt, behaart. Blüten kurzgestielt; Kronzipfel lang bärtig; Kelchblätter höchstens halb so lang wie die Krone.
Blütezeit: VII–VIII. Standort: Rasen, Zwergstrauchbestände, Bergwälder; auf kalkarmen Böden; bis über 2500 m. Verbreitung: Alpen, Karpaten, Sudeten. Ähnliche Art: **Alpen-Glockenblume,** *C. alpina* (Kelchblätter fast so lang wie die Krone, Blütenstiele meist länger als die Blüten), in den Nord- und Zentralalpen östlich von Wendelstein und Lungau, in der Südsteiermark.

4 Allionis Glockenblume ⑤

Campanula alpestris
(Glockenblumengewächse)

Bis 10 cm hohe, zerstreut behaarte Pflanze mit 1blütigem Stengel. Grundblätter in Rosetten, fast ganzrandig, gewimpert, stumpf. Kelchzähne linealisch, zugespitzt, halb so lang wie die Krone, in den Buchten mit zurückgeschlagenen, eiförmigen, spitzen, gewimperten Anhängseln; Krone 3–4,5 cm lang, glockig, am Grund deutlich verschmälert.
Blütezeit: VII–VIII. Standort: Felsschutt, steinige Rasen; auf kalkhaltigen Böden. Verbreitung: In den Südwestalpen vor Frankreich und Italien endemisch.

1 Schopfige Teufelskralle ⓢ

Physoplexis comosa
(Glockenblumengewächse)

Bis 15 cm hohe, kahle Pflanze. Grundblätter nierenförmig, eingeschnitten gezähnt; Stengelblätter länglich elliptisch, unregelmäßig gezähnt. Blütenstand halbkugelig, Blüten deutlich gestielt; Krone 1,5–2 cm lang, unten bauchig und blaßviolett, die zusammenhängenden Kronlappen bilden einen schwarzvioletten Schnabel.
Blütezeit: VI–VIII. Standort: Kalk- und Dolomitfelsspalten; bis 2000 m. Verbreitung: Südalpen vom Comer See bis in die Julischen Alpen.

2 Halbkugelige Teufelskralle

Phyteuma hemisphaericum
(Glockenblumengewächse)

Bis 20 cm hohe, kahle Pflanze. Grundblätter grasartig, 1–2 mm breit, meist ganzrandig; Stengelblätter linealisch. Blütenstand kugelig; Tragblätter eiförmig, zugespitzt, kürzer als der Blütenstand, ganzrandig; 3 Narben.
Blütezeit: VII–IX. Standort: Kalkarme Böden; Rasen, Zwergstrauchbestände; bis über 3000 m. Verbreitung: Von den Seealpen bis in die steirischen und Salzburger Alpen; Spanien, Pyrenäen.

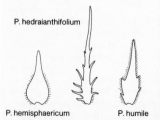

P. hedraianthifolium

P. hemisphaericum   P. humile

Tragblätter

Ähnliche Arten: **Niedrige Teufelskralle**, *P. humile* (Grundblätter 2–4 mm breit, Stengelblätter oft mit wenigen spitzen Zähnen am Grund, Tragblätter an der Basis oft gesägt, so lang wie oder länger als der Blütenstand), in den Südwestalpen und westlichen Zentralalpen. **Rhätische Teufelskralle**, *P. hedraianthifolium* (Grundblätter gegen die Spitze hin verbreitert, entfernt gesägt, Tragblätter bis doppelt so lang wie der Blütenstand, gezähnelt), in den Zentral- und Südalpen.

3 Armblütige Teufelskralle

Phyteuma globulariifolium subsp. globulariifolium
(Glockenblumengewächse)

Bis 5 cm hohe, kahle Pflanze. Grundblätter bis 1,5 cm lang, verkehrt eiförmig bis schmal elliptisch, nahe der Spitze am breitesten, stumpf, undeutlich gekerbt oder ganzrandig. Blütenstand kugelig, äußere Tragblätter rundlich, stumpf, gewimpert, kürzer oder wenig länger als der Blütenstand.
Blütezeit: VII–IX. Standort: Felsspalten, Felsschutt, lückige Rasen; auf Silikat; über 2000 m. Verbreitung: Ostalpen, nach Westen bis etwa ins Ortlergebiet.
Ähnliche Arten: **Piemont-Teufelskralle**, *P. globulariifolium subsp. pedemontanum* (Blätter spitz, an der Spitze oft dreizähnig, äußere Tragblätter lanzettlich, kurz zugespitzt), von den Pyrenäen durch die Westalpen bis zum Adamello. **Verwechselte Teufelskralle**, *P. confusum* (Blätter 2–5 cm lang, linealisch bis schmal spatelförmig, an der Spitze gezähnelt, Tragblätter eiförmig, ganzrandig oder etwas gezähnelt), in den Alpen von Salzburg, Tirol, Kärnten und Steiermark.

1

2|3

1 Schwarzwurzel-blättrige Teufelskralle

Phyteuma scorzonerifolium
(Glockenblumengewächse)

Bis 70 cm hohe Pflanze. Grundblätter fehlen zur Blütezeit; Stengelblätter schmal lanzettlich, kahl. Blüten in zylindrischen Ähren; Krone violettblau; 2 Narben.
<u>Blütezeit</u>: VI–IX. <u>Standort</u>: Bergwiesen und lichte Bergwälder; bis über 2000 m. <u>Verbreitung</u>: Südwestalpen und südliche Zentralalpen; Apennin.
<u>Hinweis</u>: In den Alpen mehrere ähnliche Arten.

2 Berg-Flockenblume Ⓢ

Centaurea montana
(Korbblütler)

Bis 80 cm hohe Pflanze mit spinnwebig behaartem Stengel. Blätter eiförmig bis breit lanzettlich. Blühende Köpfe bis 5 cm breit; Hülle 1,5–3 cm lang, Hüllschuppen mit schwarzem, unregelmäßig gefranstem Rand, Fransen kaum so lang wie der unzerteilte schwarze Rand; innere Blüten violett, äußere Blüten vergrößert, blau.

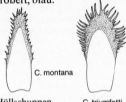

Hüllschuppen   C. montana   C. triumfetti

<u>Blütezeit</u>: V–VIII. <u>Standort</u>: Rasen, Hochstaudenfluren, Bergwälder; häufig auf Kalk; bis über 2000 m. <u>Verbreitung</u>: Nördliche und zentrale Alpen; mittlere und höhere Gebirgslagen Europas.
<u>Ähnliche Art</u>: **Triumfettis Flockenblume,** *C. triumfetti* (Fransen der Hüllschuppen länger als der unzerteilte schwarze Rand), in den Südalpen.

3 Alpen-Aster Ⓢ

Aster alpinus
(Korbblütler)

5–20 cm hohe Pflanze mit behaartem, 1köpfigem Stengel. Blätter ganzrandig, flaumig behaart, länglich. Köpfe 3–5 cm breit, mit mehrreihiger Hülle; Zungenblüten blauviolett bis fast rosa, Scheibenblüten goldgelb.
<u>Blütezeit</u>: VII–IX. <u>Standort</u>: Offene Rasen; kalkreiche Böden; bis über 3000 m. <u>Verbreitung</u>: Alpen; von den Pyrenäen bis Asien und Nordamerika.

4 Zwerg-Alpenscharte

Saussurea pygmaea
(Korbblütler)

Bis 20 cm hohe, oft fast stengellose Pflanze mit dicht weißwolligem, 1köpfigem Stengel. Blätter linealisch, mit umgerolltem Rand. Köpfe bis 4 cm lang, bis über 3 cm breit; Hülle eiförmig; Blüten alle röhrenförmig.
<u>Blütezeit</u>: VII–VIII. <u>Standort</u>: Steinige Rasen, Felsschutt; auf Kalk; bis etwa 2500 m. <u>Verbreitung</u>: Vom Karwendel und von den Venezianischen Alpen ostwärts; Westkarpaten.

5 Alpen-Milchlattich

Cicerbita alpina
(Korbblütler)

Bis 2,50 m hohe Pflanze mit rötlich drüsenhaarigem Stengel. Blätter mit 3eckigem Endabschnitt und kleineren Seitenlappen, die obersten lanzettlich. Köpfe bis 3 cm breit; Hülle mit rotbraunen Drüsenhaaren; Blüten alle zungenförmig.
<u>Blütezeit</u>: VII–IX. <u>Standort</u>: Hochstaudenfluren, Grünerlengebüsche, Schluchtwälder; auf Kalk; bis über 2000 m. <u>Verbreitung</u>: Alpen; europäische Gebirge und Mittelgebirge.

1 Allermannsharnisch ⓢ

Allium victorialis
(Liliengewächse)

Bis 80 cm hohe Pflanze; Stengel in der unteren Hälfte mit 2–3 länglich elliptischen, kurzgestielten Blättern. Blüten in einer kugeligen Scheindolde mit weißlicher, häutiger Hülle; Perigonblätter 4–6 mm lang, weißlich bis gelblichgrün.
Blütezeit: VI–IX. Standort: Rostseggenrasen, Almweiden, Hochstaudenfluren; Weideunkraut auf Almflächen; vorwiegend auf kalkhaltigen Böden; von etwa 1000 bis weit über 2000 m. Verbreitung: In den Alpen häufig; von Mittelspanien durch ganz Europa und Asien bis Nordamerika, hauptsächlich in den Gebirgen; in Mitteleuropa außerhalb der Alpen selten.
Ähnliche Art: **Bärlauch**, *A. ursinum* (Blätter grundständig, Perigonblätter 8–12 mm lang, reinweiß, Blüten in flacher Scheindolde, Blütezeit: IV–VI), in feuchten Laubwäldern.

2 Alpen-Goldstern ⓢ

Gagea fistulosa
(Liliengewächse)

Bis 15 cm hohe Pflanze mit 1 oder 2 grundständigen, hohlen, im Querschnitt halbkreisförmigen, 2–4 mm breiten Blättern; meist 2 Stengelblätter, lanzettlich, kahl, fast gegenständig. Blüten auf meist etwas behaarten Stielen; Perigonblätter breit lanzettlich, stumpf, 1–1,5 cm lang, kahl.
Blütezeit: III–VI. Standort: Kalkarme, feuchte, nährstoffreiche Böden, besonders um Almhütten, auch Mähwiesen; bis 2500 m. Verbreitung: Von den Westalpen bis Kärnten und Friaul, in Deutschland nur in den Allgäuer Alpen; Pyrenäen, Karpaten, Apennin, Balkanhalbinsel.
Ähnliche Arten: **Kleiner Goldstern,** *G. minima* (ein 1–2 mm breites, flaches Grundblatt, Perigonblätter 1–2 cm lang, zugespitzt), auf trockeneren, kalkhaltigen Böden. **Wald-Goldstern**, *G. lutea* (ein 5–15 mm breites, flaches Grundblatt, Stengelblätter gewimpert, Perigonblätter 1,3–2 cm lang), in Laub- und Laubmischwäldern sowie Lägerfluren tieferer Lagen.

3 Spätblühende Faltenlilie

Lloydia serotina
(Liliengewächse)

Zierliche, bis 15 cm hohe Pflanze mit meist 2 grasartigen, grundständigen Blättern; Stengel meist 1blütig. Blüten aufrecht, trichterförmig; Perigonblätter bis 1,5 cm lang, verkehrt eiförmig bis elliptisch, weiß, am Grund gelb, jedes mit 3 rötlichen Streifen.
Blütezeit: VI–VIII. Standort: Früh schneefreie Stellen in trockenen Rasen, in humusreichen Felsspalten und Alpenazaleenpolstern; stets auf kalkarmen bis sauren Böden. Verbreitung: Besonders in den Silikatmassiven der Alpen, in den Kalkgebirgen selten (in Bayern nur im Allgäu und am Hohen Göll; fehlt in Ober- und Niederösterreich); von der Balkanhalbinsel und den Karpaten bis Zentralasien und Sibirien; Nordamerika.

1 Kleine Simsenlilie Ⓢ

Tofieldia pusilla
(Liliengewächse)

Bis 15 cm hohe Pflanze mit grasartigen, plötzlich zugespitzten Blättern, die mit einer Schmalseite zum Stengel zeigen. Blüten in den Achseln 3lappiger Tragblätter.
Blütezeit: VI–X. Standort: Humusreiche, stets feuchte Rasen, feuchter Felsschutt; stets über 1800 m. Verbreitung: Alpen; Tatra, Arktis.

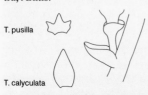

T. pusilla

T. calyculata

Ausschnitt aus dem Blütenstand der Kelch-Simsenlilie und ausgebreitete Tragblätter der beiden Simsenlilien-Arten

<u>Ähnliche Art: **Kelch-Simsenlilie**, *T. calyculata*</u> (Blätter allmählich zugespitzt, Blüten in den Achseln lanzettlicher Tragblätter, am Grund von einem 3lappigen Vorblatt umgeben).

2 Moggridges Schachbrettblume

*Fritillaria tubiformis
subsp. moggridgei*
(Liliengewächse)

Bis 30 cm hohe, kahle Pflanze. Blätter wechselständig, blaugrün. Blüten nickend, breit glockenförmig, bis 5 cm lang; Perigonblätter stumpf oder abgerundet, gelb mit oft nur undeutlichem, bräunlichem Schachbrettmuster.
Blütezeit: IV–VI. Standort: Bergwiesen, Almweiden; von 1400–2000 m. Verbreitung: Südwestalpen.

3 Holunder-Knabenkraut Ⓢ

Dactylorhiza sambucina
(Orchideengewächse)

Bis 30 cm hohe Pflanze. Blätter ungefleckt. Blüten gelb mit klein rot getupfter Lippe oder rot mit gelblicher Tönung am Grund der Lippe. 2 Perigonblätter abstehend, übrige helmartig zusammengeneigt, Lippe meist 3lappig; Sporn abwärts gebogen, dick. Blütezeit: IV–VII. Standort: Bergwiesen, Gebüsche; auf kalkfreien Böden; bis über 2000 m. Verbreitung: Besonders Zentral- und Südalpen; zerstreut durch Süd- und Mitteleuropa.

4 Frauenschuh Ⓢ Ⓥ

Cypripedium calceolus
(Orchideengewächse)

Bis 70 cm hohe Pflanze. Blätter elliptisch, stengelumfassend, gefaltet. 2 äußere und 2 innere, etwas gedrehte Perigonblätter, rotbraun; Lippe (»Schuh«) 3–4 cm lang, vorn abgerundet, bauchig aufgeblasen, gelb.
Blütezeit: V–VII. Standort: Lichte Wälder, Gebüsche; stets auf Kalk; bis fast 2000 m. Verbreitung: Mittel- und Nordeuropa, aber sehr zerstreut und stellenweise selten; sehr bedroht!

5 Gelbes Seifenkraut Ⓢ

Saponaria lutea
(Nelkengewächse)

Kurz behaarte Pflanze mit nichtblühenden Trieben und 5–10 cm hohen Stengeln. Blätter linealisch, am Rand bewimpert. Blüten kurz gestielt; Kronblätter hellgelb mit etwa 1 mm hoher Schuppe und violettem Nagel.
Blütezeit: VI–VIII. Standort: Felsspalten, Felsschutt, lückige Rasen; auf Kalk oder Silikat. Verbreitung: Zentrale Westalpen.

1 Zwerg-Miere

Minuartia sedoides
(Nelkengewächse)

In dichten Polstern wachsende Pflanze; Stengel am Grund dicht mit abgestorbenen Blättern bedeckt, oben dicht beblättert; Blätter linealisch, stumpf, kahl. Blüten einzeln, sehr kurz gestielt;

M. sedoides
Kelchblatt

Kronblätter fehlen oder sie sind fadenförmig, grünlich, kürzer als die Kelchblätter; Kelchblätter schmal eiförmig, stumpf, 3nervig, meist kahl; 3 Griffel. Blütezeit: VI. Standort: Felsspalten, Felsschutt, lückige Rasengesellschaften; oft auf kalkarmen Böden; von 1800 bis über 3000 m. Verbreitung: Alpen; Gebirge Europas; Schottland.

2 Zwerg-Hahnenfuß

Ranunculus pygmaeus
(Hahnenfußgewächse)

Bis 5 cm hohe Pflanze mit 1blütigem, unten kurzhaarigem Stengel. Grundblätter kahl, 3lappig mit wenig zerteilten Abschnitten. Blüten bis 1 cm breit, Kron- und Kelchblätter etwa gleich lang; reife Nüßchen etwa 1,5 mm lang. Blütezeit: Unmittelbar nach der Schneeschmelze. Standort: Schneetälchen; auf kalkfreiem, stets feuchtem Boden. Verbreitung: Von Graubünden ostwärts bis zu den Hohen Tauern; Arktis; im Süden nur in den Hochgebirgen.

3 Bastard-Hahnenfuß ⊞

Ranunculus hybridus
(Hahnenfußgewächse)

Bis 20 cm hohe, kahle, blaugrüne Pflanze. Grundblätter zur Blütezeit meist vorhanden, nierenförmig, vorne 3- bis 5lappig, eingeschnitten gesägt; unterstes Stengelblatt den Grundblättern ähnlich. Blüten bis 1,5 cm breit. Blütezeit: VI–VIII. Standort: Felsschutt, Felsspalten, lückige Rasen; stets auf Kalk. Verbreitung: Kalkgebiete der Ostalpen

R. thora   R. hybridus

Untere Stengelblätter

Ähnliche Art: **Gift-Hahnenfuß** *R. thora* (grundständige Blätter zur Blütezeit vertrocknet, unterstes Stengelblatt vorne nur kerbig gesägt), fehlt in den Nordalpen.

4 Berg-Hahnenfuß

Ranunculus montanus
(Hahnenfußgewächse)

Bis 30 cm hohe Pflanze mit meist behaartem Stengel. Grundblätter 3- bis 5teilig, mit eingeschnitten gezähnten Abschnitten, kahl bis zerstreut behaart, glänzend, junge, noch gefaltete Blattspreiten aufrecht; Stengelblätter sitzend handförmig, 3- bis 7teilig. Blüten bis 3 cm breit; Kelchblätter und Blütenboden behaart; Blütenstiel nicht gefurcht; Früchtchen rundlich, hohl, mit hakigem Schnabel. Blütezeit: V–IX. Standort: Felsschutt, Rasen, lichte Wälder; auf Kalk. Verbreitung: Kalkgebiete der Nord- und Zentralalpen. Hinweis: In den Alpen noch einige ähnliche, schwer zu unterscheidende Arten.

1|2

3

4

1 Schwefel-Küchenschelle ⓢ

Pulsatilla alpina subsp. apiifolia
(Hahnenfußgewächse)

Bis 40 cm hohe Pflanze mit 1blütigen, behaarten Stengeln; Rhizom meist ohne Faserschopf; Grundblätter erst nach der Blüte entwickelt, behaart, 3teilig mit 3teiligen Abschnitten, Abschnitte 2. Ordnung fiederteilig; meist 3 Hochblätter, den Grundblättern ähnlich. Blüten meist mit 6 Perigonblättern, ausgebreitet, gelb, außen bläulich bis violett überlaufen und behaart; Nüßchen mit langem, federig behaartem Griffel.
<u>Blütezeit:</u> V–VIII. <u>Standort:</u> Rasen, Zwergstrauchbestände; stets auf sauren Böden; von etwa 1500 bis 2500 m. <u>Verbreitung:</u> Besonders in den Silikatmassiven der Alpen, in Deutschland nur in den Allgäuer Alpen; spanische Gebirge, Pyrenäen.
<u>Interessantes zur Biologie:</u> Die Schwefel-Küchenschelle stellt zusammen mit der auf kalkhaltigen Böden vorkommenden Alpen-Küchenschelle (Seite 190) ein Musterbeispiel für vikariierende Pflanzensippen dar. So bezeichnet man Pflanzen, die zwar sehr nahe miteinander verwandt sind, aber auf unterschiedlichen Böden wachsen – oft nur wenige Meter voneinander entfernt. Die beiden hier genannten Unterarten beispielsweise stehen auf der Seiser Alm in Südtirol gegen den Schlern hin ganz nahe beisammen. Vikarianten, wie man vikariierende Pflanzensippen auch nennt, können sich nicht nur ökologisch, sondern auch geographisch gegenseitig ausschließen. Im Fall der beiden hier besprochenen Sippen bedeutet das, daß die Kalk meidende Schwefel-Küchenschelle in den Kalkgebieten der Alpen fast völlig fehlt und nur dann dort vorkommt, wenn kalkfreie Böden ihr Wachstum ermöglichen; deshalb findet man sie vor allem in den auf weite Strecken hin kalkfreien Zentralalpen. Die stets auf kalkhaltigen Böden wachsende Alpen-Küchenschelle dagegen hat den Schwerpunkt ihrer Verbreitung in den nördlichen und südlichen Kalkalpen; in den Zentralalpen ist sie sehr selten und kommt nur an den wenigen Stellen vor, an denen Kalk in die Silikatmassen eingesprengt ist.

2 Trollblume ⓢ

Trollius europaeus
(Hahnenfußgewächse)

Bis 1 m hohe Pflanze mit oft mehreren kahlen, meist unverzweigten Stengeln. Grundblätter gestielt, handförmig geteilt mit 5 gesägten bis fiederschnittigen Abschnitten, oberseits dunkelgrün, unterseits heller; Stengelblätter sitzend, 3zählig. Blüten bis 3 cm breit, hell- bis goldgelb, mit bis 15 kugelig zusammengeneigten Perigonblättern; Nektarblätter sehr schmal, so lang wie die Staubblätter; Balgfrüchte geschnäbelt, bis 1 cm lang.
<u>Blütezeit:</u> V–VI. <u>Standort:</u> Feuchte, oft moorige Wiesen, Gebüsche, Hochstaudenfluren, Rostseggenrasen. <u>Verbreitung:</u> Alpen; fast ganz Europa, im Süden hauptsächlich in den Gebirgen.

1

2

1 Hahnenfußblättriger Eisenhut ⑤ ✚

Aconitum lycoctonum
subsp. ranunculifolium
(Hahnenfußgewächse)

Bis 1,50 m hohe Pflanze. Blätter bis über die Mitte 5- bis 7- (9-)teilig, Abschnitte tief zerteilt. Blütenstand dicht, unverzweigt; Blüten leuchtendgelb; Perigonblätter sehr ungleich, das oberste als langgezogener »Helm« um 2 langgestielte, hakenförmig gebogene Nektarblätter mit eingerolltem Sporn gebogen.
<u>Blütezeit:</u> VI–IX. <u>Standort:</u> Hochstauden- und Lägerfluren, feuchte Laubwälder. <u>Verbreitung:</u> Westliche und südliche Teile der Alpen, fehlt in Deutschland; von Spanien bis zur Balkanhalbinsel.
<u>Ähnliche Art:</u> **Wolfseisenhut,** *lycoctonum subsp. lycoctonum* (Blüten blaßgelb, Blütenstand locker, verzweigt), besonders in den nördlichen Alpenteilen.

2 Gelber Lerchensporn

Corydalis lutea
(Erdrauchgewächse)

Bis 30 cm hohe, kahle Pflanze mit waagerechtem Rhizom und verzweigten, reichbeblätterten Stengeln. Blätter doppelt bis 3fach gefiedert. Blüten mit kurzem Sporn, etwa 2 cm lang.
<u>Blütezeit:</u> III–VII. <u>Standort:</u> Felsspalten, Felsschutt; fast immer auf Kalk. <u>Verbreitung:</u> Südalpen vom Lago Maggiore bis in die Östlichen Dolomiten; in weiten Teilen Europas verwildert.
<u>Hinweis:</u> In laubholzreichen Bergwäldern bis über 1500 m Lerchenspornarten mit rosaroten oder weißen Blüten, mit Knollen und meist nur 2blättrigem Stengel.

3 Gelber Alpenmohn ⑤

Papaver rhaeticum
(Mohngewächse)

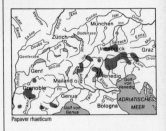

Papaver rhaeticum

Bis 20 cm hohe Pflanze mit 1blütigen, blattlosen, steifhaarigen Stengeln. Blätter behaart, 1- bis 2fach fiederteilig mit breiten, oft gelappten Abschnitten. 4 Kronblätter; 2 Kelchblätter; dicht schwarzhaarig; Kapsel mit 5–7 Narbenstrahlen.

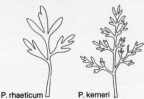

P. rhaeticum   P. kerneri

Grundblätter

<u>Blütezeit:</u> VI–VIII. <u>Standort:</u> Kalk-, Kalkschiefer- oder Dolomitfelsschutt. <u>Verbreitung:</u> Südalpen, südliche Zentralalpen; Pyrenäen bis Balkanhalbinsel.
<u>Ähnliche Art:</u> **Kerners Alpenmohn,** *P. kerneri* (Blätter 2- bis 3fach fiederteilig, kahl, Kapsel mit meist 5 Narbenstrahlen), in den Julischen und Steiner Alpen, den Karawanken, auf der nördlichen Balkanhalbinsel.

1 Seealpen-Schöterich

Erysimum jugicola
(Kreuzblütler)

Bis 40 cm hohe, dicht mit medifixen Haaren bedeckte Pflanze. Blätter schmal spatelförmig bis linealisch, am Rand oft gezähnt. Kronblätter vorne abgerundet, 1,5–2 cm lang; Kelchblätter 6–9 mm lang, ungleich groß, die äußeren am Grund ausgebuchtet; Schoten 4–9 cm lang, etwa 1 mm breit. <u>Blütezeit:</u> V–VIII. <u>Standort:</u> Rasen, Felsschutt; auf Kalk und Silikat; bis weit über 2000 m. <u>Verbreitung:</u> Südwestalpen, von den Ligurischen Alpen bis ins Gebiet des Mont Cenis. <u>Hinweis:</u> In den Alpen gibt es eine Anzahl oft sehr ähnlicher, schwer zu unterscheidender Arten.

2 Glattes Brillenschötchen

Biscutella laevigata
(Kreuzblütler)

Bis 70 cm hohe, borstig behaarte bis fast kahle Pflanze. Grundblätter länglich spatelförmig, ganzrandig bis kräftig gezähnt; Stengelblätter in den Achseln mit 2 sitzenden Drüsen (Lupe!). Kronblätter bis 8 mm lang; Frucht ein flachgedrücktes, bis 7 mm langes, bis 14 mm breites »brillenförmiges« Schötchen.

B. laevigata

Reifes Schötchen

<u>Blütezeit:</u> III–IX. <u>Standort:</u> Felsspalten, Felsschutt, Rasengesellschaften; meist auf kalkhaltigen Böden; von 500 bis 2500 m. <u>Verbreitung:</u> Alpen; Gebirge Europas.

3 Rainfarnrauke

Hugueninia tanacetifolia
(Kreuzblütler)

Bis 1 m hohe Pflanze mit dicht beblättertem Stengel. Stengelblätter von Sternhaaren flaumig, tief fiederschnittig. Abschnitte scharf eingeschnitten gesägt. Blüten am Stengelende in einer zusammengesetzten Rispe; Kron-

H. tanacetifolia

Reifes Schötchen

blätter etwa 4 mm lang, Kelchblätter 2–3 mm lang, 2 abstehend, 2 aufrecht; Schoten fast 4kantig, keulenförmig, bis 1,5 cm lang. <u>Blütezeit:</u> VI–VIII. <u>Standort:</u> Hochstaudenfluren, Lägerfluren, Bachufer; von 1000 bis 2500 m. <u>Verbreitung:</u> Von den Seealpen bis zum Wallis und zum Aostatal.

4 Bergkohl

Brassica repanda subsp. repanda
(Kreuzblütler)

Bis 15 cm hohe, kahle Pflanze. Blätter alle grundständig, spatelförmig, etwas fleischig; Stengel blattlos. Kronblätter deutlich genagelt, 1–1,5 cm lang; Kelchblätter 5–6 mm lang, aufrecht; Schoten bis 5 cm lang, 3–5 mm breit, mit deutlichem Schnabel, Fruchtklappen mit deutlichem Mittelnerv, Seitennerven undeutlich, netzartig verbunden.

Reife Schote   B. repanda

<u>Blütezeit:</u> VI–VIII. <u>Standort:</u> Felsschutt, lückige Rasen; stets auf Kalk oder Kalkschiefer; über 1500 m. <u>Verbreitung:</u> Endemische Art der Südwestalpen.

1 Karawanken-Steinkresse

Alyssum ovirense
(Kreuzblütler)

Bis 15 cm hohe Pflanze; Stengel aufrecht, dicht beblättert, locker sternhaarig. Grundblätter fast kreisrund, plötzlich in den Stiel verschmälert, bis 7 mm lang, bis 5 mm breit; Stengelblätter schmal verkehrt eiförmig, stielartig verschmälert, locker mit 10- bis 20strahligen Sternhaaren von 0,5 mm Durchmesser besetzt.

A. ovirense
Reifes Schötchen

Kronblätter schmal keilförmig, 6–7 mm lang, vorne meist abgerundet; Schötchen vom Rücken zusammengedrückt, 7–9 mm lang, locker sternhaarig, Fruchtklappen am Vorderende gestutzt bis ausgerandet. Blütezeit: IV–VIII. Standort: Felsspalten, Felsschutt; stets auf Kalk; über 2000 m. Verbreitung: Ostalpen (Hochschwab, Vicentiner Alpen, Venezianische Alpen, östliche Karnische Alpen, Julische Alpen, Karawanken); Herzegowina, Montenegro.
Hinweis: In den Alpen mehrere ähnliche Arten.

2 Sauters Hungerblümchen

Draba sauteri
(Kreuzblütler)

In lockeren Rasen wachsende, bis 5 cm hohe Pflanze. Blätter spatelförmig bis lanzettlich, fast stumpf, am Rand gewimpert, bis 1 cm lang, etwa 2 mm breit; unter den grünen Blättern meist zahlreiche weiße, abgestorbene Blätter. Kronblätter 4–5 mm lang, schmal verkehrt eiförmig, oft etwas ausgerandet, vertrocknet gelegentlich weißlich; Staubblätter deutlich kürzer als die Kronblät-

ter, Fruchtstand verlängert; Schötchen zusammengedrückt, eiförmig bis fast rund, 4–6 mm lang, 2–4 mm breit, Griffel 0,5(–1) mm lang.

D. sauteri
Reifes Schötchen

Blütezeit: VI–VIII. Standort: Felsspalten, Felsschutt; stets auf Kalk; von 1800 bis fast 3000 m. Verbreitung: Endemische Art der nordöstlichen Kalkalpen.
Hinweis: In den Alpen mehrere ähnliche Arten.

3 Berg-Lacksenf

Rhynchosinapis cheiranthos vor. montana
(Kreuzblütler)

Bis 30 cm hohe Pflanze mit unten weißborstigem, oben meist kahlem Stengel. Blätter tief fiederteilig mit 5–9 Abschnitten auf jeder Seite; Grundblätter bis 10 cm lang, Stengelblätter nach oben allmählich kleiner, die obersten oft ungeteilt. Kronblätter 2–2,5 cm lang, gelb mit dunklen Adern; Schoten waagerecht abstehend, 5–8 cm lang, 2 mm breit, Fruchtklappen schwach gewölbt mit 3 starken, dazwischen weiteren undeutlichen Längsnerven, Schnabel bis etwa halb so lang wie die Fruchtklappen.

R. cheiranthos
Reife Schote

Blütezeit: VI–VIII. Standort: Feuchter Felsschutt, lockere Rasengesellschaften; auf kalkarmen Böden; bis 1800 m. Verbreitung: Von den Seealpen bis zu den Orobischen Alpen; süd- und mitteleuropäische Gebirge.

1 Richers Lacksenf

Rhynchosinapis richeri
(Kreuzblütler)

Bis 60 cm hohe, kahle Pflanze. Grundblätter in Rosetten, schmal eiförmig, ganzrandig bis unregelmäßig buchtig gezähnt. Kronblätter lang genagelt, bis 2 cm lang; Kelchblätter bis 1 cm lang, aufrecht; Schoten waagerecht abstehend, 5–8 cm lang, 3 mm breit, kahl, Fruchtklappen schwach gewölbt, mit 3 kräftigen, dazwischen undeutlichen Längsnerven, Schnabel bis halb so lang wie die Fruchtklappen.

R. richeri

Reife Schote

Blütezeit: VI–IX. Standort: Felsspalten, Felsschutt und Rasengesellschaften; auf kalkarmen Böden; von 1000 bis über 2000 m. Verbreitung: Endemische Art der Südwestalpen vom Monte Viso bis zum Mont Cenis.

2 Allionis Hauswurz Ⓢ

Jovibarba allionii
(Dickblattgewächse)

Bis 20 cm hohe Pflanze mit meist zahlreichen sterilen, kugeligen Rosetten; Rosettenblätter zugespitzt, drüsig behaart; Stengelblätter etwas schmäler, wie der Stengel dicht drüsig. Blüten glockenförmig; Kronblätter am Rand fransig, 1,5–2 cm lang. Blütezeit: VII–IX. Standort: Meist an Felsen, auf Kalk und Silikat; meist über 1500 m. Verbreitung: Südwestalpen.
Ähnliche Arten: Sand-Hauswurz, *J. arenaria* (Rosettenblätter auf den Flächen kahl, nur am Rand drüsig), auf kalkarmem Gestein, in tieferen Lagen der Alpen. Kugel-Hauswurz, *J. hirta* (Rosettenblätter auf der Fläche kahl, nur am Rand drüsig, Rosetten sternförmig geöffnet), oft auf Kalk; in den Ostalpen.

3 Großblütige Hauswurz Ⓢ

Sempervivum grandiflorum
(Dickblattgewächse)

Sempervivum wulfenii (Ostalpen bis Comer See) und S. grandiflorum (Rest)

Bis 30 cm hohe Pflanze mit aufrechtem, beblättertem, drüsig behaartem Stengel und 4–15 cm breiten Rosetten; Rosettenblätter grün, drüsig kurzhaarig, kurz zugespitzt ohne Stachelspitze, vorne rotbraun. Blüten 2–3 cm breit; Kronblätter mindestens 3mal so lang wie die Kelchblätter, gelb, oft am Grund mit purpurnem Fleck; Staubfäden purpurn.
Blütezeit: VI–VIII. Standort: Felsschutt, lückige Rasen, Felsspalten; meist auf Silikat; über 1500 m. Verbreitung: Grajische und Penninische Alpen, Susa-Tal bis Simplon.
Ähnliche Art: Wulfens Hauswurz, *S. wulfenii* (Rosettenblätter blaugrün, mit Stachelspitze, auf der Fläche kahl, am Rand drüsig gewimpert), vom Bergell und von den Bergamasker Alpen bis in die Hohen und Niederen Tauern.

1 Alpen-Mauerpfeffer

Sedum alpestre
(Dickblattgewächse)

Bis 8 cm hohe, kahle Pflanze, zur Blütezeit mit dicht beblätterten, nichtblühenden Trieben. Blätter fleischig, rundlich. Blüten 5zählig; Kelchblätter 2–3 mm lang, Kronblätter 1–2mal so lang wie die Kelchblätter, stumpf.
Blütezeit: VI–IX. Standort: Schneetälchen, Moränen; kalkfreie Böden; von 1300 bis 2400 m. Verbreitung: Hauptsächlich in den Silikatgebieten der Alpen; Gebirge Mittel- und Südeuropas.

2 Rosenwurz

Rhodiola rosea
(Dickblattgewächse)

Bis 40 cm hohe, kahle, zweihäusige Pflanze. Blätter blaugrün, flach, fleischig, breit lanzettlich, vorne oft gezähnt, 3–6 cm lang. Blüten 4zählig, eingeschlechtlich; Kronblätter 3–4 mm lang, schmal; Kelchblätter gelb oder rot.
Blütezeit: V–VIII. Standort: Felsspalten, Felsschutt; auf Kalk und Silikat; von 1000 bis 3000 m. Verbreitung: Alpen; Nordeuropa, viele Gebirge Europas, Asien, Arktis.

3 Spinnweb-Steinbrech

Saxifraga arachnoidea
(Steinbrechgewächse)

Lockerrasig wachsende Pflanze, von klebrigen, spinnwebartigen Haaren überzogen. Untere Blätter rundlich, mit 3–5 groben Zähnen, Stengelblätter kleiner. Kronblätter eiförmig, wenig länger als die Kelchblätter.
Blütezeit: VI–VIII. Standort: Unter überhängenden Felsen in feuchtem, feinem Kalkgrus. Verbreitung: Endemisch in den Judikarischen Alpen zwischen Idro- und Gardasee.

4 Flachblättriger Steinbrech ⓢ

Saxifraga muscoides
(Steinbrechgewächse)

Saxifraga muscoides

Harzig duftende Polsterpflanze. Grundblätter schmal lanzettlich, bis 7 mm lang, breit, vertrocknet silbergrau; blühende Stengel, dicht drüsig, bis 5 cm hoch. Kronblätter breit verkehrt eiförmig, vorne meist ausgerandet, doppelt so breit und meist doppelt so lang wie die Kelchblätter.

Grundblatt und Kronblatt   S. muscoides

Blütezeit: VI–IX. Standort: Pionierrasen, Felsschutt; vorwiegend auf Kalkschiefer; von 1500 bis über 4000 m. Verbreitung: In den zentralen Gebieten der Alpen.

5 Fetthennen-Steinbrech ⓢ

Saxifraga aizoides
(Steinbrechgewächse)

Bis 30 cm hohe Pflanze. Blätter lineal lanzettlich, fleischig, am Rand bewimpert. Kronblätter linealisch, zitronengelb mit orangeroten Punkten, orange oder dunkelrot.
Blütezeit: VI–IX. Standort: Quellfluren, feuchte Felsschutt- oder Rasengesellschaften. Verbreitung: Alpen, Pyrenäen bis Balkanhalbinsel, Arktis.

1|2

3

4|5

1 Gold-Fingerkraut

Potentilla aurea
(Rosengewächse)

5–30 (–40) cm hohe, anliegend behaarte Pflanze; Stengel bogig aufsteigend, wenig beblättert, armblütig. Grundblätter meist 5zählig, die Teilblättchen schmal elliptisch, im oberen Drittel scharf gesägt, oberseits kahl, unterseits zerstreut seidenhaarig, am Rand anliegend silberglänzend behaart. Blüten 1–2,5 cm breit; Kronblätter herzförmig, länger als der Kelch.
<u>Blütezeit:</u> VI–IX. <u>Standort:</u> Rasen; meist auf sauren Lehmböden; bis über 2500 m. <u>Verbreitung:</u> Alpen; von den Pyrenäen bis Kleinasien.

2 Schnee-Fingerkraut

Potentilla nivea
(Rosengewächse)

Bis 20 cm hohe, locker filzig behaarte Pflanze mit 3teiligen Grundblättern; Teilblätter 1 bis 1,5 cm lang, oberseits dunkelgrün, zerstreut behaart, unterseits weißfilzig; Stengel bogig aufsteigend, wenigblütig. Blüten 1–1,5 cm breit; Außenkelchblätter schmal lanzettlich, etwa so lang wie die breiteren Kelchblätter; Staubbeutel öffnen sich zu den Griffeln hin; Griffel am Grund mit Papillen.
<u>Blütezeit:</u> VII–VIII. <u>Standort:</u> Lückige Rasen auf kalkhaltigen oder schwach sauren, trockenen Böden über 2000 m. <u>Verbreitung:</u> In den Alpen vom Dauphiné bis zu den Hohen Tauern; Skandinavien, Kaukasus, Asien, Arktis.

3 Bergamasker Wiesenknopf

Sanguisorba dodecandra
(Rosengewächse)

Bis 1,50 m hohe, kahle Pflanze. Blätter gefiedert, mit 5–10 Fiederpaaren, Blättchen eiförmig, am Rand grob gezähnt, oberseits hell- bis dunkelgrün, unterseits blaugrün. Blütenstände lang walzenförmig, nickend; Kronblätter fehlen; Kelchblätter bis 4 mm lang, gelblich- bis grünlichweiß; 6–15 Staubblätter.
<u>Blütezeit:</u> VII–IX. <u>Standort:</u> Bachufer, Hochstaudenfluren; auf kalkarmen Böden; von etwa 1200 bis 1800 m. <u>Verbreitung:</u> Bergamasker Alpen und Veltlin.

4 Gletscher-Petersbart Ⓢ

Geum reptans
(Rosengewächse)

Pflanze mit langen oberirdischen, beblätterten Ausläufern und 1blütigen bis 20 cm hohen Stengeln. Grundblätter gefiedert, Abschnitte spitz gesägt, Endblättchen nicht auffallend größer als die seitlichen Blättchen. Blüten 3–4 cm breit. Früchte mit bis zu 5 cm langem, in ganzer Länge rotbraun federig behaartem Griffel.
<u>Blütezeit:</u> VII–IX. <u>Standort:</u> Feuchter Felsschutt; meist auf Silikat; über 2000 m. <u>Verbreitung:</u> In den Zentralalpen verbreitet, in den Kalkketten selten; Karpaten, Balkanhalbinsel.

G. reptans   G. montanum

Grundblätter

<u>Ähnliche Art:</u> **Berg-Petersbart,** *G. montanum* (ohne Ausläufer, Grundblätter mit sehr großem, rundlichem Endabschnitt).

1 Alpen-Gelbling

Sibbaldia procumbens
(Rosengewächse)

Rasig wachsende, bis 10 cm hohe, locker anliegend behaarte Pflanze. Blätter 3zählig in grundständigen Rosetten, Teilblättchen oberseits graugrün, unterseits hellgrün; Stengel die Blätter nicht überragend. Blüten klein, unauffällig; Kronblätter gelbgrün, schmal, kürzer als der Kelch; Außenkelchblätter etwa so lang wie die Kelchblätter, aber schmäler; meist 5 Staubblätter.
Blütezeit: IV–X. Standort: Schneetälchen; meist über 2000 m. Verbreitung: In den Zentralalpen verbreitet, in den Kalkalpen seltener; Arktis von Grönland bis Skandinavien; Gebirge Europas; Kaukasus, Ararat.

2 Fünfblättriger Frauenmantel

Alchemilla pentaphyllea
(Rosengewächse)

Rasig wachsende, bis 5 cm hohe Pflanze mit niederliegendem, an den Knoten wurzelndem Stengel. Blätter in Rosetten, zerstreut behaart, bis auf den Grund 3teilig, alle Abschnitte tief zerteilt mit lanzettlichen Zipfeln. Blüten 4teilig, ohne Kronblätter; Kelchblätter eiförmig, gelblichgrün, nach der Blüte aufrecht; Außenkelchblätter sehr klein, fehlen gelegentlich; 1 Griffel.
Blütezeit: VI–X. Standort: Schneetälchen; über 2000 m. Verbreitung: Von den Seealpen bis ins Ortlergebiet, in den Nordalpen selten.

3 Westalpen-Frauenmantel

Alchemilla subsericea
(Rosengewächse)

Bis 20 cm hohe Pflanze mit ausläuferähnlichen sterilen Trieben. Grundblätter 5-, 6- oder 7teilig, Blattabschnitte bis zum Grund frei, über der Mitte am breitesten, oberseits kahl, unterseits zerstreut behaart, beiderseits grün, an der Spitze mit 2–3 mm langen, fast geraden Zähnen; Stengel höchstens doppelt so hoch wie die Grundblätter. Blüten 4teilig, ohne Kronblätter, aber mit Außenkelchblättern. Blütenstiele höchstens so lang wie die Kelchbecher; Blütenstiele, Kelchbecher und Außenseite der Kelchblätter dicht anliegend behaart; 1 Griffel.
Blütezeit: VII–IX. Standort: Felsschutt, lückige Rasen, Gebüsche; stets auf Silikat; meist über 2000 m. Verbreitung: Von den Seealpen bis Tirol; nordspanische Gebirge, Pyrenäen.
Hinweis: Die Gattung Frauenmantel, *Alchemilla*, ist im Alpengebiet mit rund 100 Arten vertreten. Viele dieser Arten sind in ihrer Verbreitung und ihren Standortansprüchen ungenügend erforscht.

1 Alpen-Goldregen ⊞

Laburnum alpinum
(Schmetterlingsblütler)

Bis 5 m hoher Strauch mit 3teiligen Blättern; Teilblättchen kahl oder etwas abstehend behaart. Blüten in bis 30 cm langen, hängenden Trauben; Blütenstiele und Kelche zerstreut abstehend behaart. Frucht kahl, bis 5 cm lang.
Blütezeit: IV–VII. Standort: Felshänge, lichte Bergwälder; vorwiegend auf Silikat; bis etwa 1500 m. Verbreitung: Südalpen; südlicher Jura, Apennin, Karpaten.
Ähnliche Art: **Gewöhnlicher Goldregen**, *L. anagyroides* (junge Zweige, Blattunterseite, Blütenstiele, Kelche und Früchte anliegend behaart), vorwiegend auf Kalk.

2 Braun-Klee

Trifolium badium
(Schmetterlingsblütler)

Bis 25 cm hohe Pflanze. Blätter 3zählig, fast kahl; obere Stengelblätter fast gegenständig. Blütenstände 1–2 cm breit; Krone 6–9 mm lang, verblüht dunkelbraun.
Blütezeit: VI–VIII. Standort: Almweiden, Rasen; fast immer auf Kalk; von 1000 bis 3000 m. Verbreitung: Alpen; von Nordspanien bis zur Balkanhalbinsel, nur in den Gebirgen.
Ähnliche Art: **Gold-Klee**, *T. aureum* (oberste Stengelblätter deutlich wechselständig, Krone nach dem Verblühen hellbraun), in den Alpen besonders in tieferen Lagen.

3 Gelbe Platterbse

Lathyrus occidentalis
(Schmetterlingsblütler)

Bis 80 cm hohe Pflanze. Blätter mit 6–10 Blättchen, meist mit grannenartiger Spitze endend; Blättchen oberseits kahl, unterseits oft zerstreut behaart. Krone 1,5–2,5 cm lang, hellgelb, im Verblühen orangebraun; Kelch mit deutlichen, verschieden langen Zähnen.
Blütezeit: VI–VIII. Standort: Wiesen, Hochstaudenfluren, Gebüsche; fast ausschließlich auf Kalk; von etwa 1000 m bis über 2000 m. Verbreitung: Von den Westalpen bis Steiermark und Kärnten; Pyrenäen, Apennin.
Ähnliche Art: **Kahle Platterbse,** *L. laevigatus* (Kelchzähne sehr klein, die obersten oft kaum sichtbar), von der Steiermark nach Osten.

4 Nickender Tragant

Astragalus penduliflorus
(Schmetterlingsblütler)

Bis 50 cm hohe Pflanze. Blätter mit 9–30 Blättchen, zerstreut kurzhaarig. Blüten nickend, etwa 1 cm lang; Fahne etwa so lang wie Flügel und Schiffchen. Frucht nickend, aufgeblasen, im Kelch lang gestielt (Stiel aus dem Kelch ragend), anfangs dicht dunkel kurzhaarig, später häutig, kahl, blaßgrün.
Blütezeit: VII–VIII. Standort: Üppige Rasen, Felsschutt, lichte Bergwälder; meist auf kalkarmen Böden; von 1300 bis 2500 m. Verbreitung: In den Alpen sehr zerstreut; von den Pyrenäen bis zu den Karpaten; Mittelschweden.

1 Niedriger Tragant

Astragalus depressus
(Schmetterlingsblütler)

Bis 10 cm hohe Pflanze mit höchstens wenige Zentimeter langem, unverzweigtem, anliegend behaartem Stengel. Blätter und Blütenstand deshalb praktisch grundständig, Blätter mit 17–25 Blättchen, diese bis 1,2 cm lang, vorne abgerundet oder ausgerandet, oberseits kahl, unterseits anliegend behaart, mit einfachen Haaren; Blüten aufrecht abstehend oder etwas nickend, Stiel des Blütenstandes höchstens ⅓ so lang wie das nächststehende Blatt; Kelch mit anliegenden dunklen und hellen Haaren; Kelchzähne wenigstens halb so lang wie die Kelchröhre; Krone 9–12 mm, gelblich; Frucht nickend, im Kelch nicht gestielt, bis 2 cm lang, bis 4 mm dick, reif kahl.

Blütezeit: V–VII. Standort: Felshänge, Trockenrasen; stets auf Kalk. Verbreitung: Nordwestliche Kalkalpen von Savoyen bis ins Simmental; Aostatal, Engadin, Veltlin, Comer-See-Gebiet, Monte Baldo, Veroneser Alpen; Gebirge Südeuropas, Kleinasien.
Ähnliche Arten: **Stengelloser Tragant,** *A. exscapus* (Blätter mit 25–39 Blättchen, beiderseits dicht abstehend behaart, Krone 2–2,6 cm lang, gelb, Stiel des Blütenstandes sehr kurz, Frucht aufrecht), in den Trockengebieten der Zentralalpen (Wallis, Aostatal, Vintschgau); von Südrußland bis Südspanien. **Montpellier-Tragant,** *A. monspessulanus* (Stiel des Blütenstandes so lang wie oder länger als das nächste Blatt, Krone 2,2–2,8 cm lang, purpurrot bis rosa, selten weiß, Blättchen oberseits kahl, unterseits mit medifixen Haaren, Frucht aufrecht), auf Kalk in tieferen Lagen der Alpen bis um 1500 m, westlich vom Gardasee und Churer Rheintal.

2 Fuchsschwanz-Tragant Ⓢ

Astragalus alopecurus
(Astragalus centralpinus)
(Schmetterlingsblütler)

Astragalus alopecurus

Bis 1,50 m hohe Pflanze mit meist mehreren, bis 1 cm dicken, verzweigten, dicht behaarten Stengeln. Blätter bis 30 cm lang, Blättchen bis 25 Paare, breit eiförmig, oberseits kahl, unterseits zerstreut behaart. Blütenstände ei- bis walzenförmig, fast sitzend; Blüten blaßgelb, Fahne etwa 2 cm lang, Flügel etwa so lang wie das Schiffchen; Kelch dicht wollig behaart. Frucht eiförmig, dicht kurzhaarig.

Blütezeit: VII–VIII. Standort: Trockene Rasengesellschaften, lichte Bergwälder; bis etwa 1600 m. Verbreitung: In den südwestlichen Alpen Frankreichs und Italiens (Dauphiné, Monte-Viso-Gebiet, Barcelonette, Queyras, Aostatal, Piemonteser und Grajische Alpen); Bulgarien, Kaukasus bis China.

1 Feld-Spitzkiel

Oxytropis campestris
(Schmetterlingsblütler)

Bis 20 cm hohe, zerstreut behaarte, stengellose Pflanze. Blätter mit 21–31 lanzettlichen, spitzen Blättchen. Kronblätter hellgelb bis weißlich, gelegentlich violett überlaufen, Fahne 1,5–2 cm lang, Schiffchen mit zahnartigem Spitzchen; Hülsen aufgeblasen, dicht behaart.
<u>Blütezeit:</u> VI–VIII. <u>Standort:</u> Rasen; meist auf kalkhaltigen Böden; über 1500 m. <u>Verbreitung:</u> Alpen; Gebirge Süd- und Mitteleuropas, Südschweden.

2 Dichthaariger Zwergginster

Chamaecytisus polytrichus
(Schmetterlingsblütler)

Bis 25 cm hoher, dornenloser Strauch; Zweige niederliegend. Blätter 3zählig, Blättchen elliptisch, bis 1,5 cm lang, abstehend behaart; Kelch abstehend langhaarig, röhrenförmig, 2lippig, Einschnitte zwischen Ober- und Unterlippe erheblich tiefer als der Einschnitt der Oberlippe; Fahne bedeutend länger als Flügel und Schiffchen.

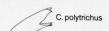
C. polytrichus

Kelch

<u>Blütezeit:</u> V–VII. <u>Standort:</u> Lückige Rasen, Felsschutt; meist auf Kalk; bis etwa 1500 m. <u>Verbreitung:</u> Süd- und Südwestalpen; Balkanhalbinsel, Krim.

3 Niederliegender Geißklee

Cytisus decumbens
(Schmetterlingsblütler)

Bis 30 cm hoher Strauch. Blätter eiförmig, bis 2 cm lang, oberseits fast kahl, unterseits abstehend behaart. Kelch abstehend behaart, breit glockenförmig, 2lippig, Einschnitt zwischen den Lippen tiefer als zwischen den Zähnen der Oberlippe; Krone 1,2–1,6 cm lang, Fahne und Flügel so lang wie das Schiffchen.
<u>Blütezeit:</u> VI–VII. <u>Standort:</u> Felshänge, lückige Rasen; auf Kalk; bis etwa 1500 m. <u>Verbreitung:</u> Südalpen, Jura; von den Pyrenäen bis zur Balkanhalbinsel.

4 Ruten-Ginster   Ⓢ

Genista radiata
(Schmetterlingsblütler)

Bis 1 m hoher Strauch ohne Dornen. Blätter gegenständig, 3zählig, Blättchen bis 2 cm lang, bis 5 mm breit. Blüten in kopfartigen Blütenständen an den Enden der Zweige; Kelch dicht behaart,

G. radiata

Kelch

glockenförmig, tief 2lippig, Einschnitt zwischen den Lippen weniger tief als der Einschnitt der Oberlippe; Krone bis 1,5 cm lang.
<u>Blütezeit:</u> VI–IX. <u>Standort:</u> Trockene Felshänge, Gebüsche; auf Kalk; bis etwa 2000 m. <u>Verbreitung:</u> Südalpen; bis Griechenland und bis zu den Karpaten.

5 Alpen-Wundklee

Anthyllis vulneraria
subsp. alpestris
(Schmetterlingsblütler)

5–20 cm hohe Pflanze mit anliegend behaartem Stengel. Blätter kahl; Grundblätter elliptisch, ungeteilt; Stengelblätter gefiedert, meist nahe der Stengelbasis. Kelch 1,3–1,8 cm lang, weißzottig (trocken grau) behaart.
<u>Blütezeit:</u> VI–IX. <u>Standort:</u> Kalkreiche Böden; lückige Rasen. <u>Verbreitung:</u> Alpen; Kantabrische Gebirge, Karpaten, Gebirge der Balkanhalbinsel.

1 Alpen-Hornklee

Lotus alpinus
(Schmetterlingsblütler)

Bis 10 cm hohe Pflanze. Blätter 5zählig, die 3 oberen Blättchen kurzgestielt, das untere Paar direkt am Stengel; Nebenblätter winzig. Blüten bis 1,8 cm lang, Kronblätter besonders nach dem Verblühen oft orangerot, Schiffchenspitze purpurn. Früchte bis 2 cm lang, gerade, rund, kastanienbraun.

L. alpinus

Hülse

Blütezeit: VII–X. Standort: Felsschutt, Rasen aller Art; meist über 2000 m. Verbreitung: Höhere Lagen der Alpen.
Ähnliche Art: **Gemeiner Hornklee**, *L. corniculatus* (Schiffchenspitze hell, Kronblätter meist auch nach dem Verblühen gelb).

2 Scheiden-Kronwicke

Coronilla vaginalis
(Schmetterlingsblütler)

Bis 20 cm hohe, kahle Pflanze mit unten verholztem Stengel. Blätter mit 5–13 blaugrünen, bis 1 cm langen, fast nervenlosen, hellrandigen Blättchen; Nebenblätter fast so groß wie die Blättchen, blaß, scheidenartig verwachsen. Blüten bis 1 cm lang, duftend. Früchte nickend, gerade, 6kantig.

C. vaginalis

Hülse

Blütezeit: VI–VIII. Standort: Felsschutt, lückige Rasen, lichte Bergwälder; stets auf Kalk; bis über 2000 m. Verbreitung: Alpen, mit Ausnahme der Silikatgebie-te; Jura, Thüringen, Harz, Apennin, Balkanhalbinsel.
Ähnliche Art: **Hufeisen-Klee**, *Hippocrepis comosa* (Blättchen schmäler, ohne hellen Rand, Frucht flach, mit hufeisenförmigen Gliedern).

3 Zwergbuchs

Polygala chamaebuxus
(Kreuzblümchengewächse)

Bis 30 cm hoher Halbstrauch mit verholzenden Zweigen. Blätter lederig, immergrün, schmal eiförmig. Blüten bis 1,5 cm lang; Kelchblätter sehr ungleich, die 3 äußeren klein, eines davon spornartig, 2 innere groß, kronblattartig (»Flügel«), anfangs gelblichweiß; Kronblätter ungleich, die 2 oberen weiß bis gelb oder rötlich, das untere kräftig gelb, beim Verblühen rotbraun.
Blütezeit: III–VII. Standort: Felshänge, trockene Rasen, lichte Gebüsche, Wälder; meist auf kalkhaltigen Böden; von der Ebene bis über 2000 m. Verbreitung: Alpen; große Gebiete Europas.
Hinweis: Besonders in den Südalpen Formen mit purpurrosa »Flügeln«.

1 Gebirgs-Veilchen

Viola tricolor subsp. subalpina
(Veilchengewächse)

Bis 30 cm hohe, mehrjährige
Pflanze mit meist verzweigtem
Stengel und nichtblühenden Seitentrieben. Untere Blätter rundlich, mit herzförmigem Grund

V. tricolor
subsp. subalpina

Blüte und Stengelausschnitt mit Nebenblatt und Blattstiel

und gekerbtem Rand, obere Blätter lanzettlich mit verschmälertem Grund; Nebenblätter tief fiederspaltig mit blattartigem Endabschnitt. Blüten bis 3 cm hoch,
Kronblätter gelb, verschiedenfar-
big oder selten alle blau, Sporn
5–6 mm lang; Kelchblätter lanzettlich, spitz.
Blütezeit: V–IX. Standort: Mähwiesen, Felsschutt; meist oberhalb 1000 m. Verbreitung: Alpen;
von Nordspanien bis zur Krim
und bis zu den Karpaten; nur in
den Gebirgen.
Hinweis: Sehr formenreich; in
den nordöstlichen Alpen oft viel-
farbig, in den Süd- und Zentralalpen häufiger weiß-gelb blühend.

2 Zweiblütiges Veilchen

Viola biflora
(Veilchengewächse)

Bis 20 cm hohe Pflanze. Stengel
1- oder 2blütig, kahl. Grundblätter nierenförmig, bis 5 cm breit,
mit gekerbtem Rand, zerstreut
behaart; Stengelblätter kleiner.
Blüten 1,5 cm lang, nicht duftend,
mit kurzem Sporn; die seitlichen
Kronblätter und und das unterste
am Grund mit braunen Strichen.
Blütezeit: V–VIII. Standort:
Felsspalten, Felsschutt, Karfluren; hauptsächlich auf Kalk; von
Tallagen bis fast 3000 m. Verbreitung: Alpen; von Südspanien
durch die europäischen Gebirge
bis Bulgarien; Skandinavien,
Asien, Nordamerika.

3 Gewöhnliches Sonnenröschen

Helianthemum nummularium
(Zistrosengewächse)

Bis 30 cm hoher, behaarter
Zwergstrauch mit bogig aufstei-
genden Zweigen. Blätter gegenständig, eiförmig lanzettlich, beiderseits kahl oder unterseits grau
filzig, stets mit Nebenblättern.
Blüten bis 3 cm breit, Kelchblätter weißlichgrün, eiförmig, mit
starken Nerven, kahl oder mit
Borsten- und Sternhaaren.
Blütezeit: V–IX. Standort: Rasenbestände aller Art, Felsschutt;
bis über 2500 m. Verbreitung: Alpen; von Nordafrika durch ganz
Europa bis Kleinasien. Rosa blühende Formen in den Seealpen.
Ähnliche Art: **Alpen-Sonnenrös-
chen,** *H. alpestre* (Blüten klein,
Blätter ohne Nebenblätter).

1 Richers Johanniskraut

Hypericum richeri subsp. richeri
(Johanniskrautgewächse)

Bis 60 cm hohe Pflanze. Blätter gegenständig, schmal eiförmig, 1–5 cm lang, unterseits am Rand mit schwarzen, sitzenden Drüsen. Kronblätter bis 2 cm lang, am Rand mit drüsenköpfigen Fransen, auf der Fläche schwarzdrüsig gepunktet und gestrichelt, ebenso die Kelchblätter. Kapsel breit eiförmig, mit zahlreichen schwarzen Drüsen.
Blütezeit: VI–VIII. Standort: Rasen, Hochstaudenfluren; meist auf Kalk; von 1000 bis über 2000 m. Verbreitung: West- und Südwestalpen bis zu den Bergamasker Alpen; Jura, Apennin.
Hinweis: In den Alpen mehrere ähnliche Arten.

2 Hahnenfuß-Hasenohr

Bupleurum ranunculoides
(Doldengewächse)

Bis 60 cm hohe, kahle Pflanze, am Grund fast ohne abgestorbene Blattscheiden. Blätter grasartig, bis 20 cm lang, bis 5 mm breit, in der oberen Hälfte mit 5 und mehr Längsnerven; Stengelblätter klein. Dolden mit 3–10 Strahlen, Hüllblätter den oberen Stengelblättern ähnlich; meist 5 Hüllchenblätter, lanzettlich bis eiförmig, 3- bis 7nervig.
Blütezeit: VII– VIII. Standort: Lückige Rasen; auf kalkhaltigen Böden; meist über 1500 m. Verbreitung: Von den Seealpen bis zu den Allgäuer Alpen im Norden, bis Südtirol im Süden; Pyrenäen, Massif Central.
Hinweis: In den Alpen einige ähnliche Arten.

3 Steckenkraut-Mutterwurz

Ligusticum ferulaceum
(Doldengewächse)

Bis 1,20 m hohe, kahle Pflanze. Blätter mehrfach gefiedert mit linealischen, zugespitzten Blattzipfeln. Dolden mit 15–25 Doldenstrahlen; Hüllblätter fiederteilig, kürzer als die Doldenstrahlen, abwärts gebogen; Hüllchenblätter etwa so lang wie die Blütenstiele; Kronblätter gelblichweiß. Frucht eiförmig, 4–5 mm lang, kahl, bräunlich mit hellen Längsrippen.

Frucht   L. ferulaceum

Blütezeit: VII–VIII. Standort: Felsschutt und Rasen; auf Kalk; über 1500 m. Verbreitung: Von den Seealpen bis zu den Hautes Alpes, Jura.

4 Striemensame

Molopospermum peloponnesiacum
(Doldengewächse)

Bis 1,50 m hohe, kahle Pflanze. Grundblätter bis 1 m lang, mehrfach gefiedert. Dolden zahlreich, am Stengelende unter einer großen Enddolde quirlartig angeordnet; Hüllblätter oft den oberen Stengelblättern ähnlich; Kronblätter gelblichweiß. Frucht 1 cm lang, mit einigen flügelartigen und einigen schwach ausgeprägten Rippen.
Blütezeit: V–VII. Standort: Kalkarme Böden, Bergwiesen, Felshänge; von 800 bis 2000 m. Verbreitung: Südalpen; von Frankreich bis Nordjugoslawien; Pyrenäen.

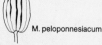
     M. peloponnesiacum
Frucht

1 Aurikel ⓢ

Primula auricula
(Primelgewächse)

Bis 30 cm hohe, meist wie mit Mehl bestäubte Pflanze. Blätter grundständig, fleischig, mit Knorpelrand. Blüten duftend, bis 2,5 cm breit; Krone goldgelb, zum Schlund hin weiß, Kronsaum trichterförmig, Kronlappen wenig ausgerandet; Kelch bis 7 mm lang, glockenförmig. Blütezeit: IV–VI. Standort: Felsspalten, Felsschutt und offene Rasengesellschaften; stets auf Kalk; vom Tal bis über 2500 m. Verbreitung: Alpen, besonders in den Kalkgebieten; Schwarzwald, Jura, Apennin, Karpaten; selten außerhalb der Alpen.

2 Goldprimel ⓢ

Vitaliana primuliflora
(Primelgewächse)

Vitaliana primuliflora

Bis 5 cm hohe, rasenförmig wachsende Pflanze. Blätter ganzrandig, linealisch, grundständig, abgeflacht, bis 1,2 cm lang, fast kahl bis dicht grauhaarig. Blüten einzeln in den Blattachseln; Kelch bis 1 cm lang; Krone bis 2,2 cm breit, goldgelb, mit langer Röhre und eiförmigen, abgerundeten Kronlappen. Blütezeit: V–VII. Standort: Felsspalten, ruhender Felsschutt und offene Rasenbestände; stets auf kalkarmen oder sauren Böden; 1700 bis 3100 m. Verbreitung: In den Seealpen und im Tessin, von Südtirol bis Oberösterreich; Pyrenäen, Apennin.

3 Steirischer Enzian ⓢ

Gentiana frigida
(Enziangewächse)

Bis 10 cm hohe, kahle Pflanze mit kurzem Stengel. Grundblätter lanzettlich, kurzgestielt, stumpf; Stengelblätter ähnlich, aber mit scheidenartigem Grund, sitzend. Blüten einzeln oder zu 2–3 am Stengel, 5zählig; Krone 2–4 cm lang, schmal glockenförmig, gelblichweiß, dunkel gestreift und getüpfelt, Kronlappen kurz eiförmig, in den Falten dazwischen mit einem kleinen Zahn; Griffel mit länglichen, spiralig zurückgerollten Narben; Kelch glockenförmig, häutig; Kelchzähne breit lanzettlich, grün. Blütezeit: VII–IX. Standort: Steinige Rasen; auf kalkarmen Böden. Verbreitung: Endemisch in der Steiermark, in den südöstlichen Niederen Tauern und in den Eisenerzer Alpen.

1 Gelber Enzian ⓢ

Gentiana lutea
(Enziangewächse)

Bis 1,50 m hohe Pflanze. Blätter kreuzgegenständig, elliptisch, stark längsnervig. Blüten am Ende des Stengels und in den Blattachseln gehäuft; Krone fast bis zum Grund 5- bis 6teilig, ausgebreitet. Blütezeit: VII–VIII. Standort: Felsschutt, Rasen, Hochstaudenfluren, Latschen- und Grünerlengebüsche; meist auf Kalk; bis über 2000 m. Verbreitung: Weite Gebiete der Alpen; Alpenvorland; Bergländer Mittel- und Südosteuropas.

2 Punktierter Enzian ⓢ

Gentiana punctata
(Enziangewächse)

20–60 cm hohe Pflanze. Blätter kreuzgegenständig, länglich eiförmig. Krone hellgelb, meist schwarz gepunktet; Kelch mit 5–8 lanzettlichen, sehr ungleichen, grünen Zähnen. Blütezeit: VII–IX. Standort: Zwergstrauch- und Rasenbestände; auf sauren Böden; über 1500 m. Verbreitung: Alpen (fehlt in den Nordalpen östlich vom Tennengebirge); Karpaten, Balkanhalbinsel. Ähnliche Art: Villars Enzian, *G. burseri subsp. villarsii* (Kelch 2teilig, auf einer Seite bis zum Grund aufgeschlitzt, Krone goldgelb), in den Südwestalpen.

3 Klebriger Salbei

Salvia glutinosa
(Lippenblütler)

Bis 1 m hohe Pflanze mit oben drüsig klebrigem, 4kantigem Stengel. Blätter gestielt, eiförmig, mit herz- bis spießförmigem Grund, am Rand gesägt. Blüten zu 2 bis 6 in den Achseln kleiner Tragblätter; Krone bis 4 cm lang; Oberlippe sichelförmig gebogen; Unterlippe mit rotbraunen Flecken und Strichen, 3lappig. Blütezeit: VII–IX. Standort: Bergwälder, Hochstaudenfluren, Gebüsche. Verbreitung: Bergländer Mittel- und Südeuropas; ostwärts bis zum Himalaja.

4 Schweizer Lotwurz

Onosma pseudarenarium subsp. helveticum
(Rauhblattgewächse)

Bis 50 cm hohe Pflanze mit nichtblühenden Rosetten und blühenden Stengeln; kurzhaarig und dazu mit langen, brüchigen, 2–3 mm langen Borsten, die an der Basis von sternförmig angeordneten kurzen Borsten umgeben sind. Blüten 2–2,5 cm lang, kurzhaarig. Blütezeit: VI–IX. Standort: Felsschutt, lückige Rasenbestände. Verbreitung: In einigen nahe verwandten, schwer unterscheidbaren Sippen von nicht völlig bekannter Verbreitung hauptsächlich in den Süd- und Südwestalpen.

5 Berg-Goldnessel

Lamium montanum
(Lippenblütler)

Bis 60 cm hohe Pflanze mit meist unverzweigtem, am Grund ringsum abstehend behaartem Stengel, während oder kurz nach der Blüte mit Ausläufern. Blätter breit lanzettlich, grob gezähnt, zerstreut behaart. Blüten in den Achseln der oberen Blattpaare; Krone 1,7–2,5 cm lang, gelb mit bräunlichen Flecken; Staubbeutel gelb. Blütezeit: IV–VIII. Standort: Laubmischwälder, Gebüsche. Verbreitung: Alpen, besonders in tieferen Lagen; fast ganz Europa.

1 Fuchsschwanz-Ziest

Stachys alopecuros
(Lippenblütler)

Stachys alopecuros

Bis 50 cm hohe, abstehend behaarte Pflanze. Grundblätter in Rosetten, herz-eiförmig, grob gezähnt, langgestielt; Stengelblätter kürzer gestielt, die oberen sitzend, viel kleiner. Blüten in dichten, ährenförmigen Blütenständen; Krone weißlichgelb, außen behaart, bis 1,5 cm lang, mit flacher, schmaler Oberlippe und herabgebogener, 3lappiger Unterlippe; Kelch 8–10 mm lang, behaart, mit 5 fast gleichen, 3eckigen Zähnen.
Blütezeit: VI–IX. Standort: Felsschutt, Rasen, Zwergstrauchbestände, Latschengebüsche; auf Kalk oder Dolomit; meist zwischen 1000 und 2000 m. Verbreitung: In den Alpen vom Dauphiné bis Niederösterreich und bis zu den Südostalpen; Nordspanien bis Nordgriechenland, Apennin.

2 Frühlings-Braunwurz

Scrophularia vernalis
(Braunwurzgewächse)

Bis 60 cm hohe, locker wollig behaarte, im Blütenstand auch drüsige Pflanze mit 4kantigem Stengel. Blätter gegenständig, gestielt, herzförmig. Blüten in langgestielten Teilblütenständen in den Achseln der oberen Blätter; Krone 6–8 mm lang, gelbgrün, mit bauchiger Röhre und kurzem, 2lippigem Rand, Oberlippe 2lappig, etwas zurückgebogen, Unter-

lippe 3lappig mit abwärts gebogenem Mittellappen.
Blütezeit: V–VII. Standort: Gebüsche, Bergwälder, Schlagfluren; bis etwa 1800 m. Verbreitung: Alpen (von Savoyen bis Kärnten und Krain); weite Teile Europas.
Hinweis: Im Gebiet der Alpen noch einige Arten mit bräunlicher Krone, manche mit gefiederten Blättern, die sich an der charakteristischen Form der Krone leicht als **Braunwurz** erkennen lassen.

3 Tonzigis Leinkraut

Linaria tonzigii
(Braunwurzgewächse)

Bis 15 cm hohe, mit Ausnahme des Blütenstandes kahle Pflanze. Blätter lanzettlich, 8–20 mm lang, 5–8 mm breit, bis 3mal so lang wie breit, etwas fleischig. Blütenstiele und Kelch zottig behaart; Krone mit kurzer, am Grund zu einem Sporn verlängerter Röhre und 2lippigem Rand, mit Sporn 2–2,5 cm lang.
Blütezeit: VI–VII. Standort: Beweglicher Felsschutt; nur auf Kalk; 1600 bis 2500 m. Verbreitung: Endemisch in den Bergamasker Alpen.
Ähnliche Art: **Niederliegendes Leinkraut**, *L. supina* (Blätter linealisch, 6- bis 15mal so lang wie breit, Haare im Blütenstand sehr kurz, Sporn oft gestreift), in den Westalpen.

1 Gelbes Mänderle

Paederota lutea
(Braunwurzgewächse)

Paederota lutea

Bis 25 cm hohe, spärlich behaarte, oft hängende Pflanze. Blätter schmal eiförmig bis lanzettlich, spitz gezähnt. Krone 1–1,5 cm lang, 2lappig mit zylindrischer Röhre; Oberlippe meist ungeteilt, aufrecht, Unterlippe 3lappig, abstehend; 2 Staubfäden, die aus der Kronröhre ragen.
Blütezeit: VI–VIII. Standort: Felsspalten; auf Kalk und Dolomit; bis 2500 m. Verbreitung: Südalpen von Valsugana bis Krain, in den nördlichen Kalkalpen am Hochkönig.

2 Boerhaves Königskerze

Verbascum boerhavii
(Braunwurzgewächse)

Bis 1,20 m hohe, weißflockig behaarte Pflanze. Grundblätter breit elliptisch, bis 30 cm lang, buchtig gezähnt. Blütenstand unverzweigt; wenigstens in den Achseln der unteren Tragblätter mehrere Blüten. Krone 2–3,5 cm im Durchmesser; 5 Staubblätter mit violett behaarten Staubfäden, die Antheren der unteren Staubblätter an den Staubfäden herablaufend.
Blütezeit: V–VII. Standort: Felshänge, lückige Rasen; bis 1500 m. Verbreitung: Südwestalpen; westliches Mittelmeergebiet.

3 Christs Augentrost

Euphrasia christii
(Braunwurzgewächse)

Bis 20 cm hohe, oft von unten an verzweigte Pflanze ohne Drüsenhaare. Blätter eiförmig, zerstreut behaart oder kahl, die mittleren mit wenigen, oft spitzen Zähnen. Krone 7–15 mm lang, goldgelb; Kronröhre älterer Blüten 6–10 mm lang, Antheren hellbraun.
Blütezeit: VIII–IX. Standort: Trockene Hänge, lückige Rasen; bis 2500 m. Verbreitung: Südwestalpen.
Hinweis: In den Alpen noch andere Arten mit gelben Blüten, die aber stets außerdem violett oder weiß getönt sind.

4 Großblütiger Fingerhut

Digitalis grandiflora
(Braunwurzgewächse)

Bis 1 m hohe Pflanze mit grundständiger Blattrosette und unverzweigtem Stengel. Blätter eiförmig bis lanzettlich mit feingesägtem Rand, oberseits kahl und glänzend, unterseits zerstreut kurzhaarig. Krone 4–5 cm lang, innen bräunlich gepunktet, kahl, an der Spitze 2lippig.
Blütezeit: VI–IX. Standort: Felsschutt, lückige Rasen, Gebüsch, Waldränder; fast immer innerhalb der Waldgrenze. Verbreitung: Alpen; von Belgien und Zentralfrankreich bis Estland, Nordgriechenland und Kleinasien.
Ähnliche Art: **Gelber Fingerhut**, *D. lutea* (Krone bis 2,5 cm lang, Kronröhre zylindrisch, innen bärtig, Blätter kahl).

1 Alpenrachen

Tozzia alpina
(Braunwurzgewächse)

Bis 50 cm hohe Pflanze mit 4kantigem Stengel. Blätter bis 3 cm lang, eiförmig, etwas fleischig, meist am Grund schwach gesägt oder gekerbt. Krone bis 1 cm lang, mit rötlichen Flecken im Schlund.
Blütezeit: VI–VIII. Standort: Hochstaudenfluren, Grünerlengebüsche, Bergwälder; bis über 2000 m. Verbreitung: Alpen; von den Pyrenäen bis Norditalien und Westjugoslawien.
Hinweis: Die Art lebt halbparasitisch, vorwiegend auf Alpendost, *Adenostyles.*

2 Verlängertes Läusekraut

Pedicularis elongata
(Braunwurzgewächse)

Bis 40 cm hohe, fast kahle Pflanze mit nur von 2 Streifen aus gekräuselten Haaren überzogenem, sonst kahlem Stengel. Blätter 2fach fiederschnittig mit fast ganzrandigen Abschnitten. Blüten in anfangs dichten, später sehr lockeren Trauben; Tragblätter kahl; Kelchröhre kahl, Kelchzähne blattartig gezähnt, gewimpert, auf der Innenseite kurzhaarig; Krone bis 1,6 cm lang, Schnabel lang.
Blütezeit: VI–VIII. Standort: Trockene Rasen und Felsschutt; auf Kalk oder Dolomit; von 1000 bis 2500 m. Verbreitung: Südostalpen, von den Karnischen Alpen westwärts.
Ähnliche Arten: **Julisches Läusekraut,** *P. julica* (Tragblätter und Kelch wollig behaart), in den Südostalpen. **Aufsteigendes Läusekraut,** *P. ascendens* (Stengel oft kahl, Kelchzähne lanzettlich, zugespitzt), von den Westalpen bis in die Bergamasker Alpen. **Knolliges Läusekraut,** *P. tuberosa* (Stengel gleichmäßig wollig behaart, Kelchabschnitte innen und am Rand kahl, Blütenstand anfangs kopfartig, später etwas verlängert), auf kalkarmen Böden von den Westalpen bis in die Hohen Tauern.

3 Gelbes Läusekraut

Pedicularis foliosa
(Braunwurzgewächse)

Bis 70 cm hohe Pflanze. Blätter doppelt gefiedert. Blüten in den Achseln gefiederter Tragblätter, die länger sind als die Blüten; Krone 2–2,8 cm lang, Oberlippe vorne abgerundet, ohne Zähne, Unterlippe abstehend; Kelch 8–10 mm lang, mit 5 kurzen, ganzrandigen Zähnen.
Blütezeit: VI–VIII. Standort: Rostseggenrasen, Hochstaudenfluren, Grünerlengebüsche; auf Kalk; meist über 1500 m. Verbreitung: Besonders in den Nördlichen Kalkalpen, in den Zentral- und Südalpen selten; von Nordspanien bis zur Balkanhalbinsel.

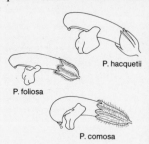

P. hacquetii

P. foliosa

P. comosa

Blüten

Ähnliche Arten: **Hacquets Läusekraut,** *P. hacquetii* (Tragblätter kürzer, Kelchröhre auf der Unterseite bis zur Hälfte gespalten), in den Südalpen vom Gardasee ostwärts. **Schopfiges Läusekraut,** *P. comosa* (Krone mit kurzem, 2spitzigem Schnabel), in den West- und Südalpen.
Hinweis: Alle Läusekraut-Arten sind Halbschmarotzer, die auf den unterschiedlichsten Pflanzen parasitieren.

3

1 Grannen-Klappertopf

Rhinanthus aristatus
(Braunwurzgewächse)

Bis 50 cm hohe, fast kahle Pflanze mit einfachem oder oben verzweigtem, aufrechtem Stengel. Stengelblätter lanzettlich bis linealisch, gekerbt gezähnt; Tragblätter schmal 3eckig, zugespitzt, tief gezähnt, die unteren Zähne 4–8 mm lang, mit 1–3 mm langer Granne, die oberen Zähne viel kürzer, grannenlos. Kelch kahl oder fast kahl; Krone gelb, 1,5–2 cm lang, mit aufwärts gebogener Röhre, Oberlippe mit 1–2 mm langem, schräg abstehendem, bläulichem Zahn, Unterlippe abstehend, Schlund offen.
Blütezeit: VI–IX. Standort: Rasen aller Art, ruhender Felsschutt; meist über 1000 m. Verbreitung: In den Alpen häufig.
Hinweis: In den Alpen kommen noch zahlreiche weitere Klappertopf-Arten vor, die wie die oben beschriebene Art sehr formenreich sind. Alle Arten sind Halbschmarotzer.
Die am leichtesten erkennbaren unter diesen Arten sind der **Zottige Klappertopf**, *R. alectorolophus* (Kelch, Tragblätter und Stengel zottig behaart) sowie der **Kleine Klappertopf**, *R. minor* (Kronröhre gerade, Zähne der Tragblätter ohne Granne).

2 Oeders Läusekraut

Pedicularis oederi
(Braunwurzgewächse)

Pedicularis oederi

Bis 20 cm hohe, unten kahle, oben behaarte Pflanze. Grundblätter kahl, kürzer als der Stengel, lanzettlich, fiederschnittig mit tief gekerbt gezähnten Abschnitten; Stengelblätter wenige oder fehlend. Blüten in einer anfangs dichten, später aufgelockerten Traube; Tragblätter behaart, tief gekerbt gezähnt, kürzer als die Blüten; Kelch abstehend bis wollig behaart mit verschieden großen, lanzettlichen, gewimperten Zähnen; Krone bis 2 cm lang, kahl, Kronröhre länger als der Kelch, Oberlippe gerade mit gebogener, nicht geschnäbelter, stumpfer Spitze.
Blütezeit: VI–VIII. Standort: Rasen; vorwiegend auf kalkhaltigen Böden; von 1500 bis 2500 m. Verbreitung: Alpen; Gebirge Europas von Skandinavien bis zu den Südwestalpen und bis zur Balkanhalbinsel; arktisches Rußland.

1 Blaue Heckenkirsche

Lonicera caerulea
(Geißblattgewächse)

Bis 1,5 m hoher Strauch mit eiförmigen, oberseits dunkelgrünen, unterseits blaugrünen Blättern. Blüten zu 2 auf einem gemeinsamen Stiel, nickend, ihre Fruchtknoten fast völlig verwachsen; Kelch sehr klein; Krone 1,2–2 cm Früchte blau, verwachsen.
Blütezeit: V–VII. Standort: Nadelwälder, Zwergstrauchbestände; kalkarme Böden. Verbreitung: Alpen; Gebirge Europas.

2 Keltischer Baldrian Ⓢ

Valeriana celtica subsp. celtica
(Baldriangewächse)

Bis 15 cm hohe, kahle Pflanze. Grundblätter schmal eiförmig, mit 3 parallelen Nerven. Krone 2–3 mm lang, am Grund gelblich, nach vorne hin bräunlich.
Blütezeit: VII–VIII. Standort: Kalkarme, etwas feuchte Rasen; meist über 2000 m. Verbreitung: Südwestalpen.
Ähnliche Art: **Norischer Baldrian,** *V. celtica subsp. norica* (Blätter mit 5 parallelen Nerven, Krone 3–4 mm lang), vom Dachstein und den südlichen Hohen Tauern ostwärts.

3 Strauß-Glockenblume Ⓢ

Campanula thyrsoides
(Glockenblumengewächse)

Bis 40 cm hohe, steifhaarige Pflanze. Blätter ganzrandig mit ziemlich stark gewelltem Rand, länglich lanzettlich. Blüten zahlreich, Krone 1,5–2,5 cm lang, wollig behaart.
Blütezeit: VI–VIII. Standort: Bergwiesen; meist über 1500 m.
Verbreitung: Alpen, Jura und Gebirge der Balkanhalbinsel.

4 Alpen-Goldrute

Solidago virgaurea subsp. minuta
(Korbblütler)

Bis etwa 20 cm hohe, meist kahle Pflanze. Blätter gesägt, verkehrt eiförmig bis lanzettlich. Wenige Köpfchen in dichten, ährenförmigen Blütenständen; Hülle 6–8 mm lang.
Blütezeit: VII–X. Standort: Rasen, Zwergstrauchgesellschaften, Bergwälder. Verbreitung: Alpen; Arktis, Gebirge Europas.
Ähnliche Art: **Gewöhnliche Goldrute,** *S. virgaurea subsp. virgaurea* (bis 1 m hoch, zahlreiche Köpfe in oft verzweigten Köpfchenständen, Hülle etwas kleiner), in tieferen Lagen.

5 Huflattich

Tussilago farfara
(Korbblütler)

Bis 25 cm hohe Pflanze. Blütenstengel vor den Blättern erscheinend, spinnwebig behaart, mit Schuppenblättern; Blütenköpfe 3–4 cm breit. Blätter grundständig, gestielt, rundlich mit herzförmiger Bucht, oberseits fast kahl, etwas glänzend, unterseits filzig behaart, am Rand mit schwarzspitzigen Zähnen.
Blütezeit: III–VI. Standort: Ufer, Böschungen, lückige Weiderasen; bis über 2000 m. Verbreitung: Fast ganz Europa; Nordasien, Nordafrika.
Hinweis: In nichtblühendem Zustand wird der Huflattich gelegentlich mit Pestwurz-Arten (Seite 228) verwechselt.

1 Echte Edelraute ⑤

Artemisia mutellina (= A. laxa = A. umbelliformis)
(Korbblütler)

Artemisia mutellina

Bis 20 cm hohe, graufilzig behaarte, aromatisch riechende Pflanze. Untere Blätter gestielt, handförmig 3- bis 5teilig, Blattabschnitte nochmals zerteilt, Blattzipfel bis 1 mm breit; Stengelblätter ähnlich, kleiner, die obersten oft ungeteilt, sitzend. Köpfchen ährenartig in der oberen Stengelhälfte, allseitswendig, aufrecht, 3–5 mm breit, die unteren deutlich gestielt; Hüllblätter mit dunkelbraunem Rand; Blüten alle röhrenförmig; Kronen zerstreut behaart; Köpfchenboden dichthaarig, Haare bis 1 mm lang.
Blütezeit: VI–IX. Standort: Felsspalten, Felsschutt; auf Silikat und Kalkschiefer; meist über 2000 m. Verbreitung: Von den Seealpen bis in die Steiermark, nirgendwo häufig; Pyrenäen, Sierra Nevada.
Ähnliche Arten: **Glänzende Edelraute,** *A. nitida* (Köpfe in einem einseitswendigen Köpfchenstand, 6–8 mm breit, nickend), auf Dolomit und Kalk, in den Südalpen. **Wollige Edelraute,** *A. lanata = A. pedemontana* (Hüllblätter hellrandig, Köpfchen einseitswendig, nickend, Köpfchenboden mit 1,5–2,5 mm langen Haaren), auf Kalk, in den Südwestalpen. **Felsen-Edelraute,** *A. eriantha = A. petrosa* (Köpfchenboden kahl, Köpfchen einseitswendig, nickend, Hüllblätter hellrandig), in den Südwestalpen. **Schwarze Edelraute,** *A. genipi* (Köpfchenboden kahl, Köpfchen sitzend, Krone der Blüten kahl), fast ausschließlich auf Kalkschiefer, von den Seealpen bis zur Steiermark.

2 Gletscher-Edelraute ⑤

Artemisia glacialis
(Korbblütler)

Artemisia glacialis

Bis 20 cm hohe, graufilzig behaarte, aromatisch riechende Pflanze. Untere Blätter gestielt, handförmig 3- bis 5teilig, bis etwa 5 cm lang, Blattabschnitte nochmals zerteilt, Blattzipfel bis 1 mm breit; Stengelblätter ähnlich, kleiner, die obersten oft ungeteilt, sitzend. Köpfchen 4–6 mm breit aufrecht, am Stengelende kopfartig gedrängt, mit 30–40 ausschließlich röhrenförmigen, kahlen Blüten; Hüllblätter mit braunem Hautrand, Köpfchenboden dicht kurzhaarig.
Blütezeit: VI–VIII. Standort: Felsspalten, Felsschutt und Pionierrasen; auf Silikat und Kalkschiefer; von 2000 bis über 3000 m. Verbreitung: Endemische Art der Südwestalpen, von den Seealpen bis in die Walliser Alpen.
Hinweis: Im Gebiet der Alpen noch zahlreiche weitere Arten der Gattung *Artemisia,* die **Beifuß** genannt werden. Es sind in der Regel höherwüchsige Pflanzen deren Grundblätter mehrfach fiederteilig sind und deren Köpfchen häufig an einem oben verzweigten Stengel sitzen.

1 Arnika Ⓢ

Arnica montana
(Korbblütler)

Bis 60 cm hohe, behaarte und drüsige Pflanze. Stengel mit 1–3 gegenständigen Blattpaaren; übrige Blätter ganzrandig, 5nervig, in grundständiger Rosette; Köpfe bis 8 cm breit, Zungen- und Scheibenblüten orange- bis dottergelb.
<u>Blütezeit</u>: VI–IX. <u>Standort</u>: Trockene Weiden, Moore; kalkfliehend; vom Flachland bis über 2500 m. <u>Verbreitung</u>: In den Alpen verbreitet; weite Gebiete Europas.

2 Prächtiges Ochsenauge

Telekia speciosissima
(Korbblütler)

Bis 50 cm hohe, etwas behaarte Pflanze. Blätter breit eiförmig, lederig derb, am Rand entfernt fein gezähnt, oberseits fast kahl, unterseits zerstreut kurzhaarig. Köpfe bis 6 cm breit; Randblüten gold- bis orangegelb, Scheibenblüten bräunlichgelb; Achänen kurzhaarig, die randlichen oft schwach 3kantig; Pappus ein trockenhäutiger, etwas gezähnter Ring; Köpfchenboden mit Spreublättern.
<u>Blütezeit</u>: VI–VII. <u>Standort</u>: Trockene, steinige Berghänge; stets auf Kalk oder Dolomit; bis etwa 1800 m. <u>Verbreitung</u>: Südalpen zwischen Comer See und Gardasee.

3 Großblütige Gemswurz

Doronicum grandiflorum
(Korbblütler)

Bis 50 cm hohe Pflanze mit drüsig behaartem Stengel. Grundständige Blätter am Grund seicht herzförmig oder gestutzt, gestielt, obere Blätter sitzend, alle am Rand und auf der Fläche mit kurzen Drüsenhaaren und längeren drüsenlosen Zottenhaaren. Köpfe 4–6 cm breit, Köpfchenboden behaart; Achänen zerstreut behaart, 10rippig, mit gelblichweißem Pappus.
<u>Blütezeit</u>: VII–VIII. <u>Standort</u>: Felsschutt, offene Rasengesellschaften und Karfluren; stets auf Kalk; bis über 2500 m. <u>Verbreitung</u>: Alpen (in den Silikatgebieten selten oder fehlend); Pyrenäen, Korsika.
<u>Hinweis</u>: In den Alpen einige ähnliche Arten.

4 Sturzbach-Gemswurz Ⓢ

Doronicum cataractarum
(Korbblütler)

Bis 1,50 m hohe Pflanze. Stengel mit doldenähnlich angeordneten Köpfen. Grundblätter langgestielt, herzförmig, zur Blütezeit vorhanden; mittlere Stengelblätter geigenförmig, obere Stengelblätter breit lanzettlich, sitzend. Köpfe 5–10 cm breit, Zunge der Zungenblüten besonders außen fast bis zur Spitze drüsenhaarig; Achänen der Scheibenblüten dicht drüsenhaarig.
<u>Blütezeit</u>: VII–IX. <u>Standort</u>: In Bergbächen; auf Silikat; über 1500 m. <u>Verbreitung</u>: Endemische Art der Koralpe.
<u>Ähnliche Art</u>: **Österreichische Gemswurz,** *D. austriacum* (Grundblätter eiförmig, zur Blütezeit meist vertrocknet, Zungenblüten kahl, Achänen ohne Drüsenhaare), auf Kalk und Silikat, in weiten Teilen der Alpen.

1 Edelrautenblättriges Kreuzkraut

Senecio abrotanifolius
(Korbblütler)

15–40 cm hohe Pflanze. Blätter steif, glänzend dunkelgrün, die unteren doppelt, die oberen einfach fiederteilig mit schmalen Abschnitten. Köpfe 2,5–4 cm breit, meist zu 2 bis 5 am Stengelende, Hülle kurzglockig, mit 1reihigen, bräunlichen inneren und wenigen, kurzen, äußeren Hüllschuppen; Achänen 3–4 mm lang, kahl. Blütezeit: VII–IX. Standort: Felsschutt, steinige, trockene Rasen, Latschengebüsche; meist über 1500 m. Verbreitung: Alpen, vom Monte Rosa und der Ostschweiz durch Bayern (nur Berchtesgaden) und Österreich bis zur nördlichen Balkanhalbinsel.

2 Gaudins Kreuzkraut

Tephroseris gaudinii (= Senecio gaudinii)
(Korbblütler)

Bis 80 cm hohe, fast kahle bis weißfilzige Pflanze; Stengel aufrecht, bis auf die Köpfchenäste unverzweigt. Grundblätter schmal eiförmig, plötzlich in einen langen Stiel verschmälert, aufgerichtet; Stengelblätter sitzend. Köpfe 3–4 cm breit, zu 3–15 doldenähnlich angeordnet; Randblüten schmal elliptisch, ihr zungenförmiger Teil etwa so lang wie die Hülle; Hüllblätter in einer Reihe, filzig behaart; Achänen 2,5–3,5 mm, kurzhaarig. Blütezeit: VI–VIII. Standort: Rasen, Lägerfluren, Bergwälder; meist über 1500 m. Verbreitung: In den Alpen recht zerstreut von Kärnten bis etwa zum Comer See.

3 Graues Kreuzkraut

Senecio incanus subsp. incanus
(Korbblütler)

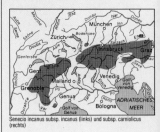

Senecio incanus subsp. incanus (links) und subsp. carniolicus (rechts)

Bis 15 cm hohe, weißfilzige Pflanze mit mehrköpfigem Stengel. Blätter verkehrt eiförmig, bis fast zum Mittelnerv fiederteilig. Köpfe 1–3 cm breit mit 3–6 Zungenblüten; Achänen 2–3 mm lang, fast kahl; Hülle filzig behaart, mit 1reihigen Hüllblättern und einzelnen kürzeren Außenhüllblättern. Blütezeit: VII–IX. Standort: Rasen, Felsschutt, Felsspalten; stets auf kalkfreien Böden; meist über 2000 m. Verbreitung: In den Alpen südlich und westlich des Gotthard.

subsp. incanus   subsp. carniolicus
Grundblätter

Ähnliche Arten: **Krainer Kreuzkraut,** *S. incanus subsp. carniolicus* (Pflanze graugrün, Blätter seicht fiederlappig oder gekerbt, in den Alpen östlich von Graubünden und Allgäu. **Einköpfiges Kreuzkraut,** *S. halleri = S. uniflorus* (Pflanze mit 1köpfigem Stengel), nur in den Grajischen und den südlichen Walliser Alpen.

1 Fuchs' Kreuzkraut

Senecio nemorensis subsp. fuchsii
(Korbblütler)

Bis 2 m hohe Pflanze. Stengel dicht beblättert, oft rot. Blätter schmal elliptisch bis lanzettlich, spitz, scharf und fein gezähnt, am Grund verschmälert oder kurzgestielt. Köpfchen in doldenähnlichen Köpfchenständen, jedes mit 4–8 Zungenblüten.
<u>Blütezeit:</u> VI–IX. <u>Standort:</u> Bergwälder, Hochstauden- und Lägerfluren, Grünerlengebüsche, Schlagfluren; bis 2000 m. <u>Verbreitung:</u> Alpen; Mittel- und Südeuropa.
<u>Ähnliche Arten:</u> **Hain-Kreuzkraut,** *S. nemorensis subsp. nemorensis* (Blätter breiter, unterseits behaart, die oberen stengelumfassend, Stengel oft grün). **Dost-Kreuzkraut,** *S. cacaliaster* (Köpfchen ohne Zungenblüten, selten 1–2 gelbliche Zungenblüten vorhanden).

2 Alpen-Kreuzkraut

Senecio cordatus (= S. alpinus)
(Korbblütler)

Bis 1 m hohe Pflanze. Grund- und untere Stengelblätter eiförmig, gezähnt, länger als breit, gestielt, oberseits kahl, unterseits behaart; obere Stengelblätter eiförmig lanzettlich, zur Basis verschmälert, dort gelegentlich fast fiederteilig; Blattstiel ohne Anhängsel, am Grund ohne Öhrchen. Köpfe bis 4 cm breit; Hülle spinnwebig wollig.

S. cordatus   S. subalpinus
Mittlere Stengelblätter

<u>Blütezeit:</u> VII–IX. <u>Standort:</u> Hochstaudenfluren, Grünerlengebüsche, Lägerfluren; bis 2000 m. <u>Verbreitung:</u> Alpen von der Schweiz nach Osten, Alpenvorland; Apennin.
<u>Ähnliche Art:</u> **Berg-Kreuzkraut,** *S. subalpinus* (Blätter unterseits fast kahl, Grundblätter so lang wie breit, obere Stengelblätter zerschlitzt bis fiederteilig, ihr Stiel mit fiederartigen Lappen, oft mit einem Öhrchen stengelumfassend), in den Ostalpen (in Deutschland nur Bayerischer Wald).

3 Kopfiges Kreuzkraut

Tephroseris capitata (= Senecio capitatus)
(Korbblütler)

Bis 40 cm hohe, grau- bis weißfilzige Pflanze. Stengel mit 2–10 gedrängten Köpfen. Grundblätter schmal eiförmig, in einen kurzen Stiel verschmälert, Stengelblätter mit verschmälertem Grund sitzend. Köpfe 2–3 cm breit, Hüllblätter in einer Reihe, ganz oder zum Teil rotbraun; zungenförmiger Teil der Randblüten orange, 2–3 mm breit, mindestens so lang wie die Hülle.
<u>Blütezeit:</u> VII–VIII. <u>Standort:</u> Rasen auf Kalk und Silikat; bis etwa 2500 m. <u>Verbreitung:</u> Von den Seealpen bis Steiermark und Kärnten, sehr zerstreut und in manchen Gebieten der Alpen fehlend; Pyrenäen, Apennin, Balkanhalbinsel, Karpaten.
<u>Ähnliche Art:</u> **Orangerotes Kreuzkraut,** *T. aurantiaca* (Pflanze sehr zerstreut behaart, mittlere Stengelblätter stengelumfassend, Zungen der Randblüten 1,5 bis 2 mm breit, höchstens so lang wie die Hülle, braunrot), in tieferen Lagen der Ostalpen.

1 Gemswurz-Kreuzkraut

Senecio doronicum
(Korbblütler)

Bis 60 cm hohe, wenigstens am Grund wollig spinnwebig behaarte Pflanze. Grundblätter eiförmig bis lanzettlich, etwas lederig derb. Köpfchen bis 6 cm breit; Hülle 1–1,5 cm lang, mit gleich langen inneren und 10–20 halb so langen äußeren Hüllschuppen. <u>Blütezeit</u>: VII–VIII. <u>Standort</u>: Felsschutt, steinige Rasen; auf Kalk; bis 3000 m. <u>Verbreitung</u>: Kalkgebiete der Alpen; Gebirge Mittel- und Südeuropas.

2 Stachelige Kratzdistel

Cirsium spinosissimum
(Korbblütler)

Bis 1,20 m hohe, gelbgrüne Pflanze. Blätter zerstreut behaart, fiederspaltig mit dornig gezähnten Lappen. Köpfe von vielen blaß gelbgrünen, dornig gezähnten Blättern umgeben; Hülle 2–3 cm lang, Blüten alle röhrenförmig. <u>Blütezeit</u>: VII–IX. <u>Standort</u>: Karfluren, Almweiden, Lägerfluren; bis über 3000 m. <u>Verbreitung</u>: Nur in den Alpen.

3 Berardie   Ⓢ

Berardia subacaulis
(Korbblütler)

Bis 15 cm hohe Pflanze mit großem, endständigem Kopf. Blätter rundlich, lederig derb, oberseits spinnwebig behaart, unterseits dicht weißfilzig. Köpfe 5–7 cm breit, Blüten alle röhrenförmig; Achänen zylindrisch; Pappus bis 2 cm lang, schraubig gedreht. <u>Blütezeit</u>: VII–VIII. <u>Standort</u>: Felsschutt; oft auf Kalkschiefer; über 1500 m. <u>Verbreitung</u>: Endemisch in den Südwestalpen.

4 Klebrige Kratzdistel

Cirsium erisithales
(Korbblütler)

Bis 1,50 m hohe Pflanze. Stengel oben klebrig, ohne Stacheln. Blätter tief fiederteilig, mit stachelig gezähnten Abschnitten. Köpfe nickend, nicht von Blättern umgeben; Hüllblätter klebrig; Blüten alle röhrenförmig; Pappus federartig. <u>Blütezeit</u>: VII–IX. <u>Standort</u>: Hochstaudenfluren, Bergwälder; auf Kalk; bis 2000 m. <u>Verbreitung</u>: Ost- und Südwestalpen; Bergländer Europas.

5 Alpen-Knorpellattich

Chondrilla chondrilloides
(Korbblütler)

Bis 30 cm hohe, kahle, blau bereifte Pflanze. Blätter verkehrt lanzettlich, ganzrandig oder mit wenigen Zähnen. Köpfe mit walzenförmiger Hülle, Hüllblätter weißrandig; Köpfchenboden kahl; Blüten alle zungenförmig; Achänen lang geschnäbelt; am Grund des Schnabels mit kleinen, abstehenden Schuppen; Pappusborsten schneeweiß. <u>Blütezeit</u>: V–VIII. <u>Standort</u>: Schwemmflächen von Flüssen; auf Kalk; bis etwa 1500 m. <u>Verbreitung</u>: Von Graubünden, Vorarlberg und Südtirol nach Osten.

1 Hainsalat

Stinksalat, *Aposeris foetida*
(Korbblütler)

Bis 25 cm hohe, unangenehm
nach verdorbenem Mehl riechende Pflanze. Blätter alle grundständig, fiederspaltig mit eckigen
Lappen. Blütenköpfe einzeln an
langen, blattlosen Stengeln; alle
Blüten zungenförmig. Frucht ohne Pappus.
Blütezeit: V–VII. Standort: Bergwälder, Latschen- und Grünerlengebüsche; von Tallagen bis
2000 m. Verbreitung: Alpen; Gebirge Mitteleuropas, Voralpen-
land.

2 Einköpfiges Ferkelkraut

Hypochoeris uniflora
(Korbblütler)

Bis 50 cm hohe, steifhaarige
Pflanze. Stengel unter dem Kopf
auffallend verdickt. Blätter länglich lanzettlich, gezähnt. Blühende Köpfe bis 4 cm breit; Hülle
wie der oberste Teil des Stengels
meist dicht schwarzhaarig; Blüten alle zungenförmig; Köpfchenboden mit trockenhäutigen,
lanzettlichen   Spreublättern;
Achänen zylindrisch, 1,8–2 cm
lang (mit Schnabel); Pappusborsten federartig, gelblichweiß.
Blütezeit: VII–IX.   Standort:
Trockene Rasen, Zwergstrauchheiden; auf sauren Böden; von
1500 bis über 2500 m. Verbreitung: Vorwiegend Zentral- und
Südalpen, Sudeten, Karpaten.
Ähnliche Art: **Berg-Pippau,** *Cre-*
pis bocconii (Köpfchenboden ohne   Spreublättern,   Achänen
8–12 mm lang, zur Spitze hin verschmälert).

3 Schweizer Löwenzahn

Leontodon pyrenaicus
subsp. helveticus
(Korbblütler)

Bis 30 cm hohe Pflanze. Blätter
grundständig, verkehrt lanzettlich, kahl oder mit einfachen
Haaren; Stengel unter dem
Köpfchen kaum verdickt, mit
mehreren schuppenartigen Blättern. Köpfchen vor dem Blühen
aufrecht; Hülle am Grund allmählich verschmälert, mit einfachen Haaren; Blüten alle zungenförmig; innere Pappusborsten federartig, schmutzigweiß.
Blütezeit: VII–IX.   Standort:
Weiderasen, Bergwälder; auf
sauren Böden; von 1500 bis
2800 m. Verbreitung: Besonders
in den Silikatgebieten der Alpen.
Ähnliche Arten: **Herbst-Löwen-**
zahn, L. *autumnalis* (Stengel
meist mehrköpfig, Blätter meist
tief fiederteilig). **Steifhaariger Lö-**
wenzahn, L. *hispidus* (Pflanze
kahl oder mit Gabelhaaren, Köpfe vor dem Aufblühen nickend,
Hülle am Grund plötzlich in den
Stiel verschmälert, Stengel ohne
oder mit höchstens 3 Schuppenblättern), besonders auf Kalk.
Grauer Löwenzahn, L. *incanus*
(Blätter ganz oder fast ganzrandig, von kurzgestielten, 3- und
mehrstrahligen Haaren grau), auf
trockenen, kalkhaltigen Böden.

4 Berg-Löwenzahn

Leontodon montanus
(Korbblütler)

Bis 10 cm hohe Pflanze. Stengel
kaum länger als die Grundblätter, unter dem Kopf etwas verdickt und dicht abstehend behaart. Blätter grundständig, gezähnt bis fiederteilig, kahl oder
unterseits mit einfachen Haaren;
Köpfe vor dem Aufblühen aufrecht; Hülle 1–1,5 cm lang,
schmal glockenförmig, dicht abstehend schwarzhaarig; Blüten
alle zungenförmig; Pappusborsten schneeweiß, federartig.
Blütezeit: VII–IX. Standort: Ruhender Felsschutt; stets auf
Kalk; von 1800 bis über 2500 m.
Verbreitung: Alpen.

1

2|3

4

1 Alpen-Kuhblume

Taraxacum apenninum-Gruppe
(Korbblütler)

Bis 10 cm hohe Pflanze mit oft mehreren, nur 1–2 mm dicken, hohlen, dünnwandigen, höchstens oben etwas spinnwebig behaarten, blattlosen, schaftartigen und 1köpfigen Stengeln. Blätter alle am Grund in einer Rosette, lanzettlich, fast ganzrandig bis tief fiederteilig. Köpfe vielblütig, schon vor dem Aufblühen mit röhrenförmiger Hülle; Hüllblätter an der Spitze ohne Höcker, ohne hellen Rand, äußere Hüllblätter vor dem Aufblühen anliegend, erst zur Fruchtzeit abstehend oder zurückgebogen; Köpfchenboden kahl, ohne Spreublätter; Blüten alle zungenförmig, dunkelgelb, die randlichen außen oft purpurn oder blaugrau gestreift; Achänen schmal elliptisch, 10rippig, mit deutlichem, dünnem Schnabel und deutlichen Schuppen am Schnabelansatz; Pappusborsten rauh, weiß.

<u>Blütezeit</u>: VII–X. <u>Standort</u>: Felsschutt, lückige Rasen, Schneetälchen; von 1800 bis über 3000 m. <u>Verbreitung</u>: Alpen; Gebirge Europas.

<u>Ähnliche Arten</u>: Die Taraxacum apenninum-Gruppe enthält in dieser Fassung zahlreiche, schwer zu unterscheidende, sehr variable Arten höherer Lagen der Alpen. Daneben gibt es in den Alpen noch einige weitere Arten oder Artengruppen.

2 Kerners Pippau

Crepis jacquinii subsp. kerneri
(Korbblütler)

Crepis jacquinii subsp. jacquinii (Nordostalpen östlich der Salzach) und subsp. kerneri (Rest)

Bis 30 cm hohe Pflanze mit beblättertem, oft in 2–6 einköpfige Äste geteiltem Stengel. Blätter meist kahl, gelegentlich zerstreut behaart, die untersten meist ganzrandig, die übrigen stark gezähnt bis tief fiederteilig mit langen, schmal lanzettlichen, senkrecht abstehenden Abschnitten, in einen geflügelten Stiel verschmälert oder die obersten sitzend. Hülle schmal glockenförmig, 1–1,2 cm lang, etwas filzig und mit abstehenden schwarzen Haaren, Hüllblätter schmal lanzettlich, in 2 Reihen, die äußeren etwa halb so lang wie die inneren; Köpfchenboden kahl, ohne Spreublätter; Blüten alle zungenförmig, gelb; Achänen 4–5 mm lang, mit 10–15 Längsrippen, zur Spitze hin wenig verschmälert; Pappusborsten schmutzigweiß, brüchig, in 1–2 Reihen.

<u>Blütezeit</u>: VI–IX. <u>Standort</u>: Felsschutt, Pionierrasen; stets auf Kalk oder Dolomit; von 1500 bis 3000 m, im Flußschotter auch wesentlich tiefer. <u>Verbreitung</u>: Alpen östlich vom Rheintal und Comer See.

<u>Ähnliche Art</u>: **Jacquins Pippau**, *C. jacquinii subsp. jacquinii* (Hülle und Kopfstiel ohne schwarze Haare), in den Nordostalpen und Karpaten.

1 Zwerg-Pippau

Crepis pygmaea
(Korbblütler)

Bis 15 cm hohe, fast kahle bis weißfilzige Pflanze. Blätter auf der Unterseite oft violett überlaufen, in einen geflügelten, oft gezähnten Stiel zusammengezogen. Hülle graufilzig; Hüllblätter in 2 Reihen, die äußeren höchstens halb so lang wie die inneren; Blüten alle zungenförmig, die randlichen außen oft rötlich; Achänen mit weißer Haarkrone.
Blütezeit: VI–VIII. Standort: Felsschutt; stets auf Kalk; bis fast 3000 m. Verbreitung: Südalpen; spanische Gebirge, Pyrenäen, Abruzzen.

2 Schabenkraut-Pippau

Crepis pyrenaica
(= C. blattarioides)
(Korbblütler)

Bis 80 cm hohe Pflanze. Stengel abstehend steifhaarig. Blätter eiförmig lanzettlich, kurzhaarig, gezähnt; Stengelblätter mit spießförmigem Grund sitzend. Hülle 1,2–1,8 cm lang, mit bräunlichgrünen, langen Haaren und hellen Sternhaaren; Blüten alle zungenförmig; Achänen mit weißer Haarkrone.
Blütezeit: VI–IX. Standort: Hochstaudenfluren, Grünerlenbestände, Bergwiesen; auf Kalk; bis über 2000 m. Verbreitung: Alpen, besonders in den Nordalpen; von Spanien bis zur Balkanhalbinsel, Vogesen, Schwarzwald.

3 Triglav-Pippau

Crepis terglouensis
(Korbblütler)

Bis 10 cm hohe Pflanze. Blätter fiederspaltig mit kurz 3eckigen Abschnitten und welligen Buchten dazwischen, glänzend grün, kahl oder zerstreut behaart. Köpfe bis 5 cm breit; Hülle halbkugelig, dicht schwarzzottig behaart; Blüten alle zungenförmig; Achänen mit weißer Haarkrone.
Blütezeit: VII–IX. Standort: Felsspalten, Felsschutt, Pionierrasen; stets auf Kalk oder Dolomit; meist über 2000 m. Verbreitung: Kalkgebiete der Alpen.

4 Gold-Pippau

Crepis aurea
(Korbblütler)

Bis 30 cm hohe Pflanze. Stengel unverzweigt, blattlos. Blätter grundständig, verkehrt lanzettlich, gezähnt, kahl. Hülle wie der obere Stengelteil dicht schwarz behaart; Blüten alle zungenförmig; Achänen mit weißer Haarkrone.
Blütezeit: V–IX. Standort: Wiesen, Almweiden, Zwergweidenspaliere; bis 2500 m. Verbreitung: Alpen; nördliche Balkanhalbinsel, Kleinasien.
Hinweis: Im Alpengebiet noch weitere Pippau-Arten, gekennzeichnet durch ungeschnäbelte, zur Spitze hin höchstens etwas verschmälerte Achänen und biegsame, weiße Pappusborsten.

5 Endivienartiges Habichtskraut

Hieracium intybaceum
(Korbblütler)

Bis 40 cm hohe Pflanze, von gelblichen Drüsenhaaren dicht bekleidet, klebrig und unangenehm riechend. Blätter schmal lanzettlich, oben schuppenartig die Hülle umgebend. Hülle bis 2 cm lang; Blüten zungenförmig, gelblichweiß; Achänen mit schmutzig weißer Haarkrone.
Blütezeit: VII–IX. Standort: Felsschutt, lückige Rasen; stets auf kalkarmen Böden; bis nahe 3000 m. Verbreitung: Silikatgebiete der Alpen, in den Kalkgebieten selten.

1 Zottiges Habichtskraut

Hieracium villosum
(Korbblütler)

Bis 40 cm hohe Pflanze mit beblättertem, lang hellhaarigem, drüsenlosem Stengel. Blätter blau- bis grasgrün, ganzrandig, zumindest unterseits und am Rand mit langen, hellen Haaren, ohne Drüsen; Grundblätter gestielt, Stengelblätter halbstengelumfassend, eiförmig, nach oben kleiner. Hülle 1,5–2 cm hoch, dicht weißwollig, ohne Drüsen, äußere Hüllblätter blattähnlich, grün, etwas abstehend; Blüten alle zungenförmig; Achänen mit schmutzigweißer, brüchiger Haarkrone.
Blütezeit: VII–VIII. Standort: Felsspalten, Felsschutt, offene Rasengesellschaften; stets auf Kalk; meist über 1500 m. Verbreitung: Kalkgebiete der Alpen; Jura, Karpaten, Apennin, Balkanhalbinsel.
Hinweis: Die Gattung *Hieracium* ist im Gebiet der Alpen äußerst artenreich. Von den hunderten von Sippen sind hier einige der leichter kenntlichen ausgewählt.

2 Niedriges Habichtskraut

Hieracium humile
(Korbblütler)

Bis 30 cm hohe Pflanze mit einfachen Haaren und Drüsenhaaren. Stengel 1- oder wenigköpfig, mit 1–6 Stengelblättern. Blätter tief buchtig gezähnt, am Grund fast fiederteilig. Hülle 1,2–1,5 cm lang, Hüllblätter schmal lanzettlich; Blüten alle zungenförmig; Achänen mit schmutzigweißer, brüchiger Haarkrone.
Blütezeit: VI–IX. Standort: Felsspalten; stets auf Kalk oder Dolomit; von Tallagen bis etwa 2500 m. Verbreitung: Kalkgebiete oder Alpen; süd- und mitteleuropäische Gebirge von den Pyrenäen bis Montenegro.

3 Wolliges Habichtskraut

Hieracium lanatum
(Korbblütler)

Bis 50 cm hohe, von federartigen Haaren weiße oder graue Pflanze mit gabelig verzweigtem, wenigköpfigem Stengel. Grundblätter zur Blütezeit meist verwelkt; 2–5 Stengelblätter, meist groß, hauptsächlich in der unteren Stengelhälfte, nach oben nur allmählich kleiner, am Grund stielartig verschmälert. Hülle 12–18 mm lang, breit zylindrisch, Hüllblätter lanzettlich, spitz; Blüten alle zungenförmig; Achänen mit schmutzigweißer, brüchiger Haarkrone.
Blütezeit: V–VIII. Standort: Trockene Felshänge, Felsschutt, Rasen; von Tallagen bis über 2000 m. Verbreitung: Von den Ligurischen Alpen bis zum Jura und bis ins Wallis; Apennin.

1 Alpen-Habichtskraut

Hieracium alpinum
(Korbblütler)

Bis 30 cm hohe Pflanze. Stengel meist 1köpfig, mit einfachen Haaren und Drüsenhaaren. Grundblätter breit lanzettlich, ganzrandig oder mit kleinen Zähnen, behaart und besonders am Rand mit vielen kurzen Drüsenhaaren; Stengelblätter klein oder fehlend. Hülle 1–2 cm lang, mit einfachen, dunklen Haaren und Drüsenhaaren. Blüten alle zungenförmig, Griffel gelb; Achänen mit schmutzigweißer, brüchiger Haarkrone.
Blütezeit: VII–IX. Standort: Rasen, Zwergstrauchbestände; stets auf sauren Böden; von etwa 1500 m bis über 3000 m. Verbreitung: Alpen, besonders in den Silikatgebieten; Nordeuropa, Arktis, Vogesen, Harz, Karpaten.

2 Öhrchen-Habichtskraut

Hieracium auricula
(Korbblütler)

Bis 40 cm hohe Pflanze. Stengel meist mehrköpfig. Ausläufer dünn mit zur Ausläuferspitze hin größer werdenden Blättern. Blätter bläulich grün, spatelförmig oder verkehrt lanzettlich, meist nur gegen den Grund am Rand mit einfachen langen Haaren. Hülle 5–10 mm lang, mit wenigen einfachen Haaren, mit zerstreuten Sternhaaren und oft reichlichen Drüsenhaaren; Blüten alle zungenförmig, meist ohne rote Streifen; Achänen mit schmutzigweißer, brüchiger Haarkrone. Blütezeit: V–IX. Standort: Almweiden, Wiesen, lichte Bergwälder; von Tallagen bis gegen 3000 m. Verbreitung: Im ganzen Alpengebiet häufig; weite Teile Europas, im Süden selten.

3 Gewöhnliches Habichtskraut

Hieracium pilosella
(Korbblütler)

Bis 30 cm hohe Pflanze. Stengel 1köpfig, unbeblättert, von Sternhaaren filzig. Ausläufer dünn, beblättert mit zur Ausläuferspitze hin kleiner werdenden Blättern. Blätter länglich, oberseits borstig, unterseits von Sternhaaren weiß. Hülle von Sternhaaren grauweiß, mit einfachen Haaren und Drüsenhaaren; Hüllblätter 0,5–2 mm breit, schmal lanzettlich, allmählich zugespitzt; Blüten alle zungenförmig; Achänen mit schmutzigweißer, brüchiger Haarkrone.
Blütezeit: V–IX. Standort: Auf trockenen Böden; von Tallagen bis um 3000 m. Verbreitung: Im ganzen Alpengebiet häufig; fast ganz Europa, Teile Asiens.
Ähnliche Art: **Hoppes Habichtskraut,** *H. hoppeanum* (Hüllschuppen stumpf, 2–4 mm breit, Ausläufer kurz, mit dichtstehenden, gegen die Ausläuferspitze hin größer werdenden Blättern).

1 Südalpen-Lauch ⑤

Allium insubricum
(Liliengewächse)

Allium insubricum (östlich des Comer Sees) und A. narcissiflorum (Südwestalpen)

Bis 30 cm hohe Pflanze mit grasartigen, bis 5 mm breiten Blättern. Blütenstand nickend, mit weißlicher, häutiger Hülle; Blüten glockig, bis 2 cm lang.
<u>Blütezeit:</u> VII–VIII. <u>Standort:</u> Schutthalden, lückige Rasen; nur auf Kalk oder Dolomit. <u>Verbreitung:</u> Endemit der Südalpen vom Comer See bis Brescia.
<u>Ähnliche Art:</u> **Narzissenblütiger Lauch**, *A. narcissiflorum* (Blütenstand nur anfangs nickend, in voller Blüte aufrecht), Endemit der Südwestalpen.

2 Schnittlauch

Allium schoenoprasum
(Liliengewächse)

Bis 50 cm hohe Pflanze mit rundem, hoch hinauf beblättertem Stengel. Grundblätter schmal röhrenförmig. Blüten in kugeligen Scheindolden mit 2- bis 3lappiger, meist roter Hülle; Perigonblätter zugespitzt.
<u>Blütezeit:</u> V–VIII. <u>Standort:</u> Sumpfwiesen, Quellfluren. <u>Verbreitung:</u> Alpen; europäische Gebirge; Asien und Nordamerika.

3 Hunds-Zahnlilie

Erythronium dens-canis
(Liliengewächse)

Bis 30 cm hohe Pflanze mit 2 fast gegenständigen, breit lanzettlichen, dunkelgrünen oder braunen, hell gefleckten Blättern und einer Blüte; Perigonblätter nach außen gebogen, am Grund gelb gefleckt, auf jeder Seite mit einem kleinen Zahn.
<u>Blütezeit:</u> II–IV. <u>Standort:</u> Laubwälder, Gebüsche, Wiesen; bis etwa 1700 m. <u>Verbreitung:</u> Südalpen; Teile Südeuropas; Kaukasus, Sibirien, Japan.

4 Türkenbund ⑤

Lilium martagon
(Liliengewächse)

Bis 1,50 m hohe Pflanze. Blätter länglich, die unteren und oberen wechselständig, die mittleren quirlartig angeordnet. Blüten stark und unangenehm riechend; Perigonblätter bis 7 cm lang, zurückgebogen.
<u>Blütezeit:</u> (VI)VII–VIII. <u>Standort:</u> Laubwälder, Hochstaudenfluren, Bergwiesen, Latschengebüsche; bis über 2000 m. <u>Verbreitung:</u> Alpen; fast ganz Europa; Asien ostwärts bis ins Baikalseegebiet.

5 Feuerlilie ⑤

Lilium bulbiferum
(Liliengewächse)

Bis 1 m hohe Pflanze. Blätter linealisch bis schmal lanzettlich, wechselständig, mit oder ohne Brutknospen (Bulbillen) in den Achseln. Blüten geruchlos, trichterförmig; Perigonblätter bis 6 cm lang.
<u>Blütezeit:</u> V–VII. <u>Standort:</u> Gebüsche, Wiesen, Felsspalten; vom Tiefland bis über 2000 m. <u>Verbreitung:</u> Von den Seealpen bis Niederösterreich, in den Nordalpen selten; Teile Europas.

1|2

3

4|5

1 Burnats Schachbrettblume ⑤

Fritillaria meleagris subsp. burnatii
(Liliengewächse)

Bis 30 cm hohe, graugrüne Pflanze ohne Grundblätter. Stengel nur im oberen Teil beblättert. Blätter linealisch, bis 10 cm lang, dicklich, die untersten stumpf. Blüten meist einzeln, glockig; Perigonblätter braun-purpurn mit oft nur undeutlichem Schachbrettmuster, bis 5 cm lang, die äußeren spitz oder stumpf, die inneren stets stumpf.
Blütezeit: IV–VII. Standort: Bergwiesen; in der Regel auf Kalk; von etwa 1000 bis über 2000 m. Verbreitung: Süd- und Südwestalpen, von den Seealpen bis ins Gardaseegebiet.
Ähnliche Art: **Dauphiné-Schachbrettblume,** *F. tubiformis subsp. tubiformis* (Blätter lanzettlich, Perigonblätter außen purpurn mit bläulichem Schein, innen kräftig purpurn gefleckt, äußere und innere stumpf).

2 Alpen-Zeitlose ✚

Colchicum alpinum
(Liliengewächse)

Bis 10 cm hohe Pflanze mit grundständigen, linealischen Blättern. Blüten lilarosa, bis 1 cm lang, erscheinen ohne Blätter; Perigonblätter am Grund zu einer langen Röhre verwachsen, freie Perigonabschnitte 2–3 cm lang, länglich; 3 Griffel, frei, mit kopfigen Narben; Fruchtknoten unterirdisch, erst zur Reife im Frühjahr mit den Blättern über die Erde gehoben.
Blütezeit: VIII–XI. Standort: Wiesen auf kalkfreien Böden; bis 2000 m. Verbreitung: Von den Seealpen durch die südlichen Alpengebiete bis in die Venezianischen Alpen; Korsika, Sardinien, Sizilien, Apennin.
Ähnliche Arten: **Herbstzeitlose,** *C. autumnale* (Blüten größer, freie Perigonabschnitte 4–6 cm lang, Griffel mit herablaufenden Narben), auf feuchten Wiesen häufig. **Lichtblume,** *Bulbocodium vernum* ⑤ (Blätter und Blüten gleichzeitig im Frühjahr, Perigonblätter nicht verwachsen, an der Spitze 3spaltiger Griffel).
Hinweis: Die Zeitlosen gehören zu den Liliengewächsen, die durch oberständigen Fruchtknoten und 6 Staubblätter gekennzeichnet sind. Während der Fruchtknoten der Zeitlosen zur Blütezeit unter der Erde ist, sind die 6 Staubblätter leicht zu sehen. Durch den Besitz von 6 Staubblättern sind die *Colchicum*-Arten leicht von dem gelegentlich violett blühenden Frühlings-Krokus zu unterscheiden, der zu den Schwertliliengewächsen gehört und nur 3 Staubblätter hat.

1 Kugel-Knabenkraut Ⓢ Ⓥ

Traunsteinera globosa
(Orchideengewächse)

Bis 50 cm hohe Pflanze. Blätter ungefleckt, lanzettlich. Blüten in einem fast kugeligen Blütenstand; Perigonblätter mit verdickter Spitze, Lippe 3lappig, dunkel punktiert; Sporn dünn.
<u>Blütezeit:</u> V–VIII. <u>Standort:</u> Rasen; auf Kalk; bis über 2000 m.
<u>Verbreitung:</u> Alpen und Alpenvorland; Gebirge Europas.

2 Schwarzes Kohlröschen Ⓢ

Nigritella nigra subsp. nigra
(Orchideengewächse)

Bis 15 cm hohe Pflanze mit grasartigen Blättern. Blütenstand eiförmig; Blüten stark nach Vanille duftend, schwarzrot; Perigonblätter lanzettlich, Lippe 3eckig mit langer, gerader Spitze, aufwärts gerichtet; Sporn sehr kurz.
<u>Blütezeit:</u> VI–IX. <u>Standort:</u> trockene Wiesen; meist über 1500 m.
<u>Verbreitung:</u> In den Alpen häufig; europäische Gebirge.

3 Rotbraune Stendelwurz Ⓢ

Epipactis atrorubens
(Orchideengewächse)

20–60 cm hohe Pflanze. Blätter aufrecht abstehend. Blüten rotbraun; Perigonblätter ausgebreitet, Lippe in der Mitte eingeschnürt, der vordere Teil herzförmig, am Grund mit 2 gefalteten Höckern; Fruchtknoten dicht flaumig, deutlich gestielt.
<u>Blütezeit:</u> V–VIII. <u>Standort:</u> Lichte Wälder, Wiesen, Gebüsche; meist auf Kalk oder Dolomit; bis über 2000 m.
<u>Verbreitung:</u> Alpen, große Teile Europas; Syrien, Kaukasus.

4 Fuchs' Knabenkraut Ⓢ

Dactylorhiza fuchsii
(Orchideengewächse)

Bis 80 cm hohe Pflanze mit beblättertem Stengel. Blätter schwarzbraun gefleckt. Perigonblätter gefleckt oder gestrichelt, Lippe deutlich 3lappig, mit kräftig roter Schleifenzeichnung, der Mittellappen etwa so breit wie die Seitenlappen und meist auch länger.

D. fuchsii

Blüte

<u>Blütezeit:</u> VI–VIII. <u>Standort:</u> Wiesen, Flachmoore, Bergwälder. <u>Verbreitung:</u> Ganz Europa, im Süden hauptsächlich in den Gebirgen.

5 Mücken-Händelwurz Ⓢ

Gymnadenia conopsea
(Orchideengewächse)

Bis 30 cm hohe Pflanze mit ungefleckten, lineallanzettlichen Blättern. Blüten fast geruchlos, ohne Zeichnung; äußere Perigonblätter abstehend, 2 innere zusammengeneigt; Lippe stumpf 3lappig mit verlängertem Mittellappen; Sporn sehr dünn, viel länger als der Fruchtknoten abwärts gebogen.
<u>Blütezeit:</u> V–VIII. <u>Standort:</u> Wiesen, lichte Wälder; bis über 2000 m; meist auf Kalk. <u>Verbreitung:</u> Alpen; fast ganz Europa; ostwärts bis Japan und Nordchina.
<u>Ähnliche Art:</u> **Wohlriechende Händelwurz,** *G. odoratissima* (stark duftend, Sporn höchstens halb so lang wie der Fruchtknoten, Lappen der Lippe etwa gleich lang).

1 Brand-Knabenkraut Ⓢ

Orchis ustulata
(Orchideengewächse)

10–30 cm hohe Pflanze. Blätter länglich lanzettlich, nicht gefleckt. Blüten klein, duftend; Perigonblätter zu einem fast kugeligen Helm zusammengeneigt, die äußeren schwarzpurpurn, die inneren rosa, Lippe weiß mit roten Punkten, 3lappig mit ausgerandetem oder 2lappigem Mittellappen; Sporn kurz.
<u>Blütezeit</u>: V–VIII. <u>Standort</u>: Wiesen und alpine Rasen; bis über 2000 m; meist auf Kalk. <u>Verbreitung</u>: Fast ganz Europa.

2 Alpen-Säuerling

Oxyria digyna
(Knöterichgewächse)

Bis 50 cm hohe, kahle Pflanze. Grundblätter breiter als lang, am Grund herzförmig, vorn oft etwas ausgerandet, sauer schmeckend. Blüten hängend, mit deutlich gegliedertem Stiel; Perigon 4teilig, 2 äußere Perigonblätter dem Flügel der Frucht anliegend, 2 innere den flachen Seiten der Frucht angedrückt; Fruchtknoten mit 2 Griffeln und pinselförmigen Narben; Frucht linsenförmig, 5 mm breit, mit breitem, rotem Hautrand (Flügel).
<u>Blütezeit</u>: VI–VIII. <u>Standort</u>: Kalkarmer, gut durchfeuchteter Felsschutt. <u>Verbreitung</u>: Alpen; Gebirge Europas, Arktis.

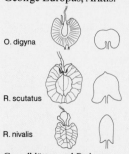

O. digyna

R. scutatus

R. nivalis

Grundblätter und Perigone (vergrößert)

Ähnliche Arten: Schild-Ampfer, *Rumex scutatus* (Blätter rundlich spießförmig, Perigon 6teilig, 3 kleine, abstehende äußere Perigonblätter, 3 innere Perigonblätter = Valven, 5–6 mm lang), ohne Ansprüche an den Säuregrad des Bodens. **Schnee-Ampfer,** *Rumex nivalis* (Grundblätter spießförmig, stumpf, Valven bis 3 mm lang, äußere Perigonblätter dem Blütenstiel angedrückt), in Schneetälchen, nur in den Kalkgebieten der Alpen.

3 Karthäuser-Nelke Ⓢ

Dianthus carthusianorum
(Nelkengewächse)

Kahle Pflanze mit nichtblühenden Trieben und bis 50 cm hohen, blühenden Stengeln. Blätter schmal lanzettlich, gegenständig; Stengelblätter am Grund zu 1–2 cm langen Blattscheiden verwachsen. Blüten zu 1 bis 30 in einem kopfartigen, von lanzettlichen Blättern umgebenen Blütenstand; Platte der Kronblätter 5–15 mm lang, purpurrot; Kelch 1,4–1,8 cm lang, Kelchschuppen braun, derb, halb so lang bis so lang wie der Kelch.
<u>Blütezeit</u>: VI–IX. <u>Standort</u>: Trockene Rasengesellschaften. <u>Verbreitung</u>: Alpen; weite Gebiete Europas.
Ähnliche Art: Seguiers Nelke, *D. seguieri* (Stengelblätter auf 3–5 mm verwachsen, Kelchschuppen gelblich bis grün), in den West- und Südalpen.

1 Kurzstengelige Nelke

Dianthus subacaulis
subsp. subacaulis
(Nelkengewächse)

In dichten Polstern wachsende
Pflanze mit 1blütigen, 5–20 cm
hohen Stengeln. Blätter etwa
1 cm lang, 1 mm breit. Kronblätter
mit am Rand etwas welliger,
kahler Platte; Kelch 6–10 cm
lang, 3–4 mm breit, Kelchzähne
eiförmig, hautrandig; 4 Kelchschuppen, breit eiförmig, fast
stumpf.
Blütezeit: V–VII. Standort: Trok-
kene Felshänge. Verbreitung:
Südwestalpen; Pyrenäen.

2 Alpen-Nelke Ⓢ

Dianthus alpinus
(Nelkengewächse)

Dianthus alpinus (Nordostalpen)

Bis 20 cm hohe, kahle Pflanze.
Blätter linealisch, stumpf. Blüten
bis 3 cm breit; Kronblätter oberseits an der Basis purpurrot und
weiß gesprenkelt; Kelch
1,5–1,8 cm lang, Kelchschuppen
in eine lange Spitze ausgezogen.
Blütezeit: VI–IX. Standort: Lük-
kige Rasen; auf Kalk; von etwa
1000 bis über 2000 m. Verbreitung: Nordostalpen, vom Toten
Gebirge bis zum Semmering.

3 Stein-Nelke Ⓢ

Dianthus sylvestris
(Nelkengewächse)

Bis 30 cm hohe, kahle Pflanze.
Blätter linealisch, bis 10 cm lang.
Blüten bis 3 cm breit; Kronblätter kahl, vorne gezähnt; Kelch
1,5–2 cm lang, 2–4 Kelchschuppen, breit eiförmig, etwa ¼ so
lang wie der Kelch.
Blütezeit: V–IX. Standort: Felsschutt, lückige Rasen; meist auf
Kalk; vom Tal bis etwa 2500 m.
Verbreitung: Alpen; von Spanien
bis Griechenland.

4 Übersehene Nelke

Dianthus pavonius
(= *D. neglectus*)
(Nelkengewächse)

Bis 20 cm hohe, kahle Pflanze.
Blätter linealisch, zugespitzt. Blüten meist einzeln am Stengelende; Kelch 1,2–1,6 mm lang, 2–4
Kelchschuppen, eiförmig, allmählich zugespitzt; Kronblätter
ungefleckt, am Rand gezähnt,
unterseits grünlichgelb.
Blütezeit: VII–VIII. Standort:
Lückige Rasen, Felshänge; bis
2500 m. Verbreitung: Süd- und
Westalpen; Pyrenäen.

5 Sternbergs Nelke Ⓢ

Dianthus monspessulanus
subsp. sternbergii
(Nelkengewächse)

Bis 20 cm hohe Pflanze. Blätter linealisch, zugespitzt. Blüten duftend; Kronblätter bis etwa zur
Hälfte zerschlitzt; Kelch
1,8–2 cm lang, Kelchzähne lanzettlich, schmal hautrandig, stachelspitzig, 4 Kelchschuppen,
breit lanzettlich, in eine grüne
Spitze ausgezogen.
Blütezeit: VI–IX. Standort: Lük-
kige Rasenbestände; auf Kalk;
von etwa 1500 bis 2500 m. Verbreitung: Südostalpen, Dachstein.

1 Niedriges Seifenkraut ⑤

Saponaria pumilio
(Nelkengewächse)

In dichten Polstern wachsende Pflanze mit kurzen, 1blütigen Stengeln. Blüten 2–2,5 cm breit; Kelch 1,5–2 cm lang, aufgeblasen, zottig, oft rötlich, Kelchzähne stumpf; Kronblätter mit bis 4 mm hoher Schuppe; 3 Griffel.
Blütezeit: VII–IX. Standort: Lückige Rasen, Zwergstrauchbestände; auf kalkarmen Böden; etwa von 1500 bis 2700 m. Verbreitung: In den zentralen Ostalpen von den Hohen Tauern und vom Defreggengebirge ostwärts; in den Südalpen nur in den Dolomiten und Sarntaler Alpen; Südkarpaten.

2 Rotes Seifenkraut

Saponaria ocymoides
(Nelkengewächse)

Bis 40 cm hohe Pflanze mit niederliegenden, reich verzweigten, kurzhaarigen Stengeln. Stengelblätter verkehrt eiförmig, in den Blattstiel verschmälert, kahl, am Grund mit randlichen Wimpern. Blütenstand locker ausgebreitet, klebrig; Kelch 7–12 mm lang, rötlich, dicht drüsig behaart; Blüten bis 1 cm breit; Kronblätter mit etwa 1 mm hoher Schuppe, Nagel länger als der Kelch; 2 Griffel.
Blütezeit: V–X. Standort: Felsschutt, Rasen, lichte Kiefernwälder; meist auf Kalk; von Tallagen bis über 1500 m. Verbreitung: In den südlichen Gebirgen von Spanien bis Jugoslawien; in den Nordalpen nur in wärmeren Gebieten.

3 Stengelloses Leimkraut ⑤

Silene acaulis subsp. acaulis
(Nelkengewächse)

In dichten, moosähnlichen Polstern wachsende, fast kahle Pflanze. Blätter 5–12 mm lang, linealisch, am Rand gewimpert. Blüten einzeln auf bis 3 cm langen Stielen; Kronblätter kaum ausgerandet, rosa, oft ohne Schlundschuppen; Kelch walzenförmig, am Grund plötzlich verschmälert, kahl; Kapsel bis doppelt so lang wie der Kelch.
Blütezeit: VI–IX. Standort: Felsspalten, Felsschutt, Rasen; meist auf Kalk. Verbreitung: Alpen; von den Pyrenäen bis zur Balkanhalbinsel und zum Ural; Arktis.
Ähnliche Arten: **Stielloses Leimkraut**, *S. acaulis subsp. exscapa* (Blätter 3–6 mm lang, Blütenstiele kaum über 5 mm lang, Kelch am Grund allmählich verschmälert, Kapsel kaum länger als der Kelch), auf kalkarmen Böden; in den Zentralalpen; Pyrenäen. **Mont Cenis-Leimkraut**, *S. acaulis subsp. cenisia* (Blüten sehr lang gestielt, Kronblätter stark 2lappig, rot), oft auf Kalkschiefer, in den Südwestalpen.

1

2

3

1 Tag-Lichtnelke

Silene dioica
(Nelkengewächse)

Bis 80 cm hohe, abstehend behaarte Pflanze mit gabelig verzweigtem Stengel. Blätter eiförmig bis spatelig. Kelch rötlich, drüsig behaart, bei den männlichen Blüten 10nervig, bei den weiblichen Blüten 20nervig; Kronblätter am Schlund mit 2teiligen Schuppen; 5 Griffel.
Blütezeit: V–IX. Standort: Mähwiesen, Hochstauden- und Lägerfluren; bis etwa 2500 m. Verbreitung: Europa ohne Arktis, im Süden fast nur in den Gebirgen; Asien, Nordafrika.

2 Elisabeth-Lichtnelke

Silene elisabethae
(Nelkengewächse)

Bis 25 cm hohe Pflanze mit etwas klebrigem Stengel. Grundblätter lanzettlich, kahl, nur am Rand bewimpert; Stengelblätter drüsig behaart, klebrig. Blüten bis 4 cm breit; Kelch bis 2,5 cm lang, dicht drüsenhaarig; Kronblätter am Schlund mit bis 6 mm langen, zerschlitzten Schuppen.
Blütezeit: VI–IX. Standort: Felsschutt, Felsspalten, lückige Rasenbestände. Verbreitung: Kalkgebirge zwischen Comer See und Gardasee.

3 Alpen-Lichtnelke

Lychnis alpina
(Nelkengewächse)

Kahle Pflanze mit unverzweigten, bis 15 cm hohen Stengeln und einigen grundständigen Blattrosetten. Blätter lanzettlich, am Grund gelegentlich gewimpert. Blüten in kopfartigem Blütenstand; Kronblätter 2spaltig, am Schlund mit einer bis 1 mm hohen, 2teiligen Schuppe; Kelch etwa 5 mm lang, glockig, mit undeutlichen Nerven.
Blütezeit: VII–VIII. Standort: Felsschutt, lückige Rasen; auf trockenen, kalkarmen Böden. Verbreitung: West- und Zentral-

Lychnis alpina

alpen, bis in die Hohen Tauern; Pyrenäen, Apennin, Arktis.

4 Jupiter-Lichtnelke Ⓢ

Lychnis flos-jovis
(Nelkengewächse)

Bis 90 cm hohe, weißwollig behaarte Pflanze. Blätter eiförmig bis lanzettlich, spitz. Blüten bis 3 cm breit, in kopfartigem Blütenstand; Kronblätter am Schlund mit 2teiliger, bis 3 mm hoher Schuppe; Kelch bis 1,5 cm lang, weißfilzig.
Blütezeit: VI–VIII. Standort: Lückige Rasen, Gebüsche; oft auf Kalk. Verbreitung: Südwest- und Westalpen, bis zum Engadin und Puschlav im Norden und bis Trient im Süden.

1

2|3

4

1 Großblumige Pfingstrose Ⓢ

Paeonia officinalis
(Hahnenfußgewächse)

Bis 1 m hohe Pflanze mit oft mehreren kahlen, beblätterten 1blütigen Stengeln. Blätter mehrmals 3teilig, unterseits schwach behaart, hellgrün, oberseits kahl, dunkelgrün. Kelchblätter meist ungleich, grün bis kronblattartig, beim Verblühen nicht abfallend; 5–10 Kronblätter, bis 5 cm lang, verkehrt eiförmig, dunkelrot; 2–3 Fruchtknoten, Balgfrüchte aufrecht, nicht verwachsen, meist anfangs dichtfilzig.
Blütezeit: IV–VI. Standort: Felsige Berghänge, lichtes Gebüsch, grasreiche Hochstaudenfluren. Verbreitung: In den Alpen sehr selten (Ligurien, Tessin, Südtirol, Krain), gelegentlich aus Gärten verwildert; von Portugal bis Albanien und Kleinasien.
Ähnliche Art: **Großblättrige Pfingstrose,** *P. mascula* (Blätter einfach oder doppelt 3teilig, meist 5 Fruchtknoten), in den Alpen nur gelegentlich aus Gärten verwildert.

2 Akeleiblättrige Wiesenraute

Thalictrum aquilegifolium
(Hahnenfußgewächse)

Bis 1,50 m hohe, kahle Pflanze. Blätter mehrfach gefiedert, am Grund des Blattstiels und an den Abzweigungen der Fiederstiele mit breiten, knorpelig wirkenden Auswüchsen (Stipellen), Blättchen bläulich bereift, verkehrt eiförmig, vorne gelappt oder eingeschnitten gekerbt. Blüten meist zahlreich, aufrecht; Kelchblätter bis 6 mm, grünlich, bald abfallend; Kronblätter fehlen, Staubblätter zahlreich, Staubfäden nach vorne keulig verdickt, lila bis weißlich; Früchtchen bis 7 mm lang, 3kantig, geflügelt, langgestielt, hängend.
Blütezeit: VI–VIII. Standort: Feuchte, laubholzreiche Bergwälder, Hochstaudenfluren, Grünerlengebüsche, Bachufer; von Tallagen bis um 2000 m. Verbreitung: Alpen; von Nordspanien, Norditalien und Zentralfrankreich bis zur Wolga.
Ähnliche Arten: **Kleinblättrige Wiesenraute,** *T. minus* (Staubfäden gelblich, nicht verdickt, Früchtchen nicht gestielt), in trockenen Wiesen und Gebüschen, in einigen noch ungeklärten Sippen im ganzen Alpengebiet. **Alpen-Wiesenraute,** *T. alpinum* (Stengel nur bis 20 cm hoch, Staubfäden nicht verdickt, violett, Früchtchen nur 3 je Blüte), in nassen Rasen, Quellfluren und Mooren, von den Seealpen bis Krain, sehr zerstreut, von den Pyrenäen bis Japan, im nördlichen und arktischen Europa, in Asien und Nordamerika.

1 Dunkle Akelei ⑤

Aquilegia atrata
(Hahnenfußgewächse)

Bis 1 m hohe Pflanze mit drüsenlosem Stengel. Blätter doppelt 3teilig, mit stumpf gelappten Blättchen; die oberen oft nur 3lappig. Blüten bis 3 cm breit, schwarzviolett, Honigblätter mit hakenförmig einwärts gebogenem Sporn; Staubblätter mindestens 5 mm aus der Blüte ragend. Blütezeit: V–VIII. Standort: Bergwiesen, Hochstaudenfluren, Latschen- und Grünerlengebüsch, Bergwälder. Verbreitung: Alpen; Alpenvorland, Apennin.

Ähnliche Arten: **Gewöhnliche Akelei**, *A. vulgaris* (Blüten bis 5 cm breit, blau, Staubblätter nicht aus der Blüte ragend), in tieferen Lagen. **Schwärzliche Akelei**, *A. nigricans* (Stengel oben drüsenhaarig, Blüten blauviolett, Staubblätter kaum aus der Blüte ragend), in den Südostalpen. **Einseles Akelei**, *A. einseleana* (Pflanze bis 40 cm, Blüten bis 2 cm breit, Sporn fast gerade, höchstens 1 cm lang), in den Nordalpen selten, in den Südalpen vom Comer See bis Kärnten. **Wiesenrauten-Akelei**, *A. thalictrifolia* (wie Einseles Akelei, aber drüsig behaart), endemisch zwischen Garda- und Iseosee. **Bertolonis Akelei**, *A. bertolonii* (Blüten bis 3 cm breit, blau, Sporn gerade, über 1 cm lang), in den Südalpen. **Alpen-Akelei**, *A. alpina* (Blüten bis 8 cm breit, Sporn gerade, 1,8–2,5 cm lang), von den Seealpen bis Vorarlberg.

2 Alpen-Sockenblume

Epimedium alpinum
(Berberitzengewächse)

Bis 40 cm hohe Pflanze mit 1blättrigem Stengel. Stengelblatt 3fach 3teilig, den lockeren Blütenstand überragend; Blättchen stachelig gewimpert. Äste des Blütenstands wie die Blütenstiele drüsig behaart. 8 Kelchblätter (Perigonblätter), die 4 äußeren kelchblattartig, grünlichrosa, bald abfallend, die 4 inneren kronblattartig, dunkelrot, bleibend, etwa doppelt so lang wie die äußeren; Kronblätter (Nektarblätter) gelblich, deutlich gespornt.

Blütezeit: V–VII. Standort: Laubwälder. Verbreitung: Südalpen von Piemont ostwärts; Balkanhalbinsel.

3 Finger-Zahnwurz

Cardamine pentaphyllos
(Kreuzblütler)

Bis 60 cm hohe, fast völlig kahle Pflanze. Stengelblätter wechselständig, mit 5 Teilblättern. Blütenstand vor dem Aufblühen nikkend; Kronblätter 1,5–2,5 cm lang. Früchte 4–7 cm lang, 2,5–5 mm breit; Griffel 7–10 mm lang.

C. pentaphyllos

Stengelblatt

Blütezeit: V–VII. Standort: Bergwälder, Bachufer; bis 1500 m. Verbreitung: Alpen (besonders Nordalpen) und Alpenvorland; Pyrenäen, Zentralmassiv, Jura, Vogesen, Schwarzwald, Balkan.

1 Rundblättriges Täschelkraut

Thlaspi rotundifolium
(Kreuzblütler)

Bis 15 cm hohe, kahle Pflanze. Grundblätter fast rosetenartig gedrängt, rundlich, plötzlich in den Stiel verschmälert; Stengelblätter sitzend, stengelumfassend. Blüten duftend, in anfangs dichten Trauben; Schötchen verkehrt eiförmig, bis 1 cm lang, seitlich zusammengedrückt, Griffel 1–5 mm lang.

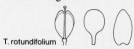

T. rotundifolium

Schötchen, Grundblatt und Stengelblatt

Blütezeit: VI–IX. Standort: Beweglicher, kalkhaltiger Felsschutt; über 1500 m. Verbreitung: Alpen, besonders in den Kalkalpen.

2 Hochobir-Schaumkresse

Cardaminopsis halleri
subsp. ovirensis
(Kreuzblütler)

Bis 25 cm hohe Pflanze, deren Ausläufer mit Blattrosetten oder blühenden Stengeln enden. Stengel nicht verzweigt. Grundblätter eiförmig, unzerteilt, obere Stengelblätter gezähnt. Schoten nervenlos, 1–2 cm lang, etwa 1 mm breit.
Blütezeit: IV–VII. Standort: Bergwiesen, Felsschutt. Verbreitung: Nordalbanien und Karpaten bis Steiner Alpen und Karawanken.
Ähnliche Art: **Hallers Schaumkresse,** *C. halleri subsp. halleri* (Ausläufer ohne blühende Stengel, Grundblätter gefiedert, obere Stengelblätter ganzrandig, Stengel verzweigt, Blüten weiß, Schoten mit Mittelnerv).

3 Steinschmückel ⓢ

Petrocallis pyrenaica
(Kreuzblütler)

2–8 cm hohe, in lockeren Polstern wachsende Pflanze. Blätter vorn 3- bis 5lappig, mit einfachen Haaren bewimpert. Blüten duftend; Kronblätter 4–5 mm lang, genagelt; Schötchen elliptisch, kahl, 4–5 mm lang, vom Rücken zusammengedrückt, Fruchtklappen mit deutlichem Mittelnerv und getrocknet netznervig.

P. pyrenaica

Reifes Schötchen und Grundblatt

Blütezeit: VI–VII. Standort: Felsspalten, Felsschutt, Pionierrasen; auf Kalk; von etwa 1500 bis über 3000 m. Verbreitung: Kalkgebiete der Alpen; von den Pyrenäen bis zum Krainer Schneeberg; Karpaten.

4 Walliser Levkoje

Matthiola fruticulosa
subsp. valesiaca
(Kreuzblütler)

Bis 30 cm hohe, von Sternhaaren und zahlreichen kurzen Drüsenhaaren graufilzige Pflanze. Blätter alle grundständig, lineal lanzettlich, meist ganzrandig, am Rand oft eingerollt. Kronblätter bis 2,5 cm lang. Schoten bis 10 cm lang, bis 2 mm dick, mit gelben Drüsenhaaren, Fruchtklappen ohne Mittelnerv, Griffel fehlend, Narbe kurz 2teilig.
Blütezeit: V–VII. Standort: Felsschutt, offene Rasengesellschaften; stets auf Kalk; bis über 2000 m. Verbreitung: Südalpen; Nordspanien bis zur Balkanhalbinsel.

1

2|3

4

1 Felsen-Steintäschel

Aethionema saxatile
(Kreuzblütler)

Bis 20 cm hohe, blaugrüne, oft
rötlich verfärbte, kahle Pflanze.
Stengelblätter eiförmig, ganzrandig. Blüten in einer Traube;
Kronblätter rosarot, bis 4 mm
lang. Schötchen bis 7 mm lang,
länger als breit, geflügelt, an der
Spitze schmal und tief ausgerandet.
Blütezeit: IV–VII. Standort:
Felsschutt, lückige Rasen; bis
1900 m; meist auf Kalk. Verbreitung: Alpen; von Nordafrika
durch Spanien bis zur Balkanhalbinsel und nach Kleinasien.

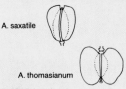

A. saxatile

A. thomasianum

Reife Schötchen

Ähnliche Art: **Thomas-Steintä-
schel,** *A. thomasianum* (Fruchtstand sehr dicht, Früchte breiter
als lang, mit breitem Flügel), nur
in den Südwestalpen.

2 Wund-Mauerpfeffer

Sedum anacampseros
(Dickblattgewächse)

Bis 30 cm hohe, völlig kahle
Pflanze; nichtblühende Triebe
gegen die Spitze zu dicht beblättert. Blätter wechselständig, fleischig, flach, ganzrandig. Blütenstände halbkugelig oder dolden-
förmig; 5 Kronblätter, 4–5 mm
lang, unterseits bläulich mit grünem Kiel, oberseits purpurrosa
mit roten Flecken und Längsstreifen; 10 Staubblätter, Staubfäden violettrot.
Blütezeit: VI–VIII. Standort:
Felsschutt, lockere Rasen; auf
kalkarmen Böden; von 1500 bis
2500 m. Verbreitung: Südalpen;
Pyrenäen, Apennin.

3 Dunkler Mauerpfeffer

Sedum atratum subsp. atratum
(Dickblattgewächse)

Bis 10 cm hohe, kahle, grüne, rotbraun überlaufene Pflanze ohne
nichtblühende Triebe. Blätter
keulenförmig, rundlich, oberseits
kaum abgeflacht, stumpf, fleischig. Blüten 5zählig, dicht gedrängt; Kronblätter weißlich bis
rötlich, schmal eiförmig, 3–4 mm
lang; Kelchblätter eiförmig, zugespitzt, 2 mm lang; 10 Staubblätter.
Blütezeit: VI–VIII. Standort:
Felsspalten, Felsschutt, Pionierrasen; stets auf kalkhaltigen Böden; von 1000 bis 3000 m. Verbreitung: Alpen; von den Pyrenäen bis zur Balkanhalbinsel.
Ähnliche Art: **Kärntner Mauer-
pfeffer,** *S. atratum subsp. carinthiacum* (Pflanze gelbgrün,
Kelchblätter stumpf, Kronblätter
grünlichweiß), in den Ostalpen.

4 Spinnweb-Hauswurz Ⓢ

Sempervivum arachnoideum
(Dickblattgewächse)

Bis 15 cm hohe Pflanze mit bis
3 cm breiten Rosetten. Rosettenblätter lanzettlich, dichtdrüsig,
mit langen weißen Wollhaaren
an der Spitze, die die Blätter
spinnwebartig verbinden. Blüten
sternförmig, 1–2 cm breit, 8- bis
12teilig, zu 2–10 am Ende des
Stengels; Kronblätter lebhaft
hellrot mit purpurnem Mittelnerv; Staubfäden purpurn.
Blütezeit: VI–IX. Standort: Felsspalten, steinige Rasenbestände;
vorwiegend auf kalkarmen Böden. Verbreitung: Alpen (nicht in
den Nordalpen östlich vom Allgäu); Pyrenäen, Apennin.

1|2

3

4

1 Dach-Hauswurz ⓢ

Sempervivum tectorum
(Dickblattgewächse)

Bis 50 cm hohe Pflanze mit drüsigem, behaartem Stengel und 2–5 cm breiten, offenen Rosetten. Rosettenblätter allmählich zugespitzt, blaugrün, auf den Flächen meist völlig kahl, am Rand deutlich gewimpert, gelegentlich rötlich, aber Spitze ohne deutlich abgesetzten dunklen Fleck; Stengelblätter mit schmaler Basis. Blütenstand mit meist mehr als 30 Blüten; 12–16 Kronblätter, 9–11 mm lang, purpurrosa, Staubfäden purpurn.
Blütezeit: VI–IX. Standort: Felsspalten, Felsschutt, lückige Rasen; von Tallagen bis über 2500 m. Verbreitung: In den Alpen ostwärts bis zum Brenner und bis ins Allgäu, durch die Südalpen bis Friaul; von den Pyrenäen bis zur Balkanhalbinsel.

2 Felsen-Johannisbeere

Ribes petraeum
(Stachelbeergewächse)

Bis 2 m hoher Strauch. Blätter 3- bis 5lappig, 5–9 cm breit, mit scharf doppelt gezähnten, zugespitzten Lappen; Blattstiel mehr als halb so lang wie die Blattspreite. Blüten grünlichrosa, in hängenden Trauben. Früchte rot, sehr sauer.
Blütezeit: IV–VI. Standort: Hochstaudenfluren, Bergwälder, Felsschutt; auf kalkarmen Böden; von 800 bis 2000 m. Verbreitung: Alpen; Gebirge Europas, Nordafrika, Teile Asiens.

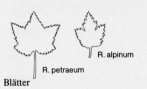

Blätter R. petraeum R. alpinum

Ähnliche Art: **Alpen-Johannisbeere,** *R. alpinum* (Blütentrauben aufrecht, Blattstiel kaum halb so lang wie die Blattspreite, Früchte fade schmeckend), auf Kalk.

3 Roter Steinbrech ⓢ

Saxifraga oppositifolia
(Steinbrechgewächse)

Saxifraga oppositifolia

In flachen Polstern wachsende Pflanze; blühende Stengel kurz aufsteigend, dicht beblättert, 1blütig. Blätter gegenständig, blaugrün, eiförmig, dick, über 2 mm lang, am Rand bewimpert, Wimpern zur Blattspitze hin kürzer. Kronblätter 2- bis 3mal so lang wie die Kelchblätter, jung leuchtend weinrot, später blauviolett; Kelchblätter bewimpert, ohne Drüsen.
Blütezeit: IV–IX. Standort: Felsspalten, Felsschutt und offene Rasengesellschaften, ohne Ansprüche an die Unterlage; von 580 bis 3500 m. Verbreitung: Alpen; Arktis, Gebirge Europas, Amerikas und Asiens; Balkan, ostwärts bis zum Himalaja.
Ähnliche Arten: **Muriths Steinbrech,** *S. murithiana* (Kelch drüsig). **Wimperblättriger Steinbrech,** *S. blepharophylla* (Wimpern am Blattrand zur Blattspitze hin länger, Blätter vorne abgerundet). **Rudolphs Steinbrech,** *S. rudolphiana* (Blätter höchstens 2 mm lang, Pflanze in dichten, harten Polstern wachsend), auf Kalkschiefer von den Ötztaler Alpen nach Osten.

1 Gestutzter Steinbrech Ⓢ

Saxifraga retusa
(Steinbrechgewächse)

In dichten Polstern wachsende Pflanze. Blätter gegenständig, 2–4 mm lang, mit 3–5 Gruben, von der Mitte an rückwärts gebogen, Blattrand nur in der unteren Hälfte bewimpert. Blühende Stengel höchstens am Grund drüsig, sonst kahl, mit 2–4 Blüten; Kronblätter 1nervig; Kelch kahl. Blütezeit: V–VIII. Standort: Felsspalten, Felsschutt; auf Silikat; über 2000 m. Verbreitung: Südwestalpen (von den Seealpen bis ins westliche Tessin) und Nordalpen (Obersteiermark und angrenzendes Salzburger Gebiet).
Hinweis: In den Alpen einige ähnliche Arten.

2 Mercantour-Steinbrech Ⓢ

Saxifraga florulenta
(Steinbrechgewächse)

Bis 50 cm hohe Pflanze mit nur einer, nach der Blüte absterbenden Rosette. Blätter bis 6 cm lang, bis 1 cm breit, zur Spitze hin allmählich verbreitert, spitz, ledrig derb, mit gewimpertem Knorpelrand. Blüten kurzgestielt, in einer langen, drüsig behaarten Rispe; Kronblätter 5–7 mm lang, hellrosa; Fruchtknoten oft 3griffelig, in der Endblüte auch 5griffelig. Blütezeit: VII–VIII. Standort: Silikat-Felsspalten; von 2000 bis 3000 m. Verbreitung: Endemisch im zentralen Teil der Seealpen.

3 Zwergmispel

Sorbus chamaemespilus
(Rosengewächse)

Bis 3 m hoher Strauch. Blätter eiförmig, bis 10 cm lang, unzerteilt, derb, kahl, gezähnt, an den Zweigenden zusammengedrängt. Blüten in doldenartigen Rispen; Kronblätter 4–5 mm lang, rundlich bis eiförmig; Kelch weißfilzig; 2 Griffel. Frucht eiförmig, anfangs leuchtend rot, später schwarzbraun. Blütezeit: VI–VIII. Standort: Latschengebüsche, lichte Kiefernwälder, Zwergstrauchbestände; auf kalkhaltigen Böden; bis 2500 m. Verbreitung: Alpen; Gebirge Mittel- und Südeuropas.

4 Alpen-Heckenrose

Rosa pendulina
(Rosengewächse)

Bis 1,50 m hoher Strauch. Stacheln nadelförmig, meist spärlich, an den oberen Zweigen oft fehlend. Blätter gefiedert; Blättchen scharf doppelt gezähnt, gelegentlich mit Stieldrüsen auf den Nerven, sonst kahl. Blütenstiele meist mit Stieldrüsen; Kronblätter bis 3 cm lang; Kelchblätter ungefiedert aufrecht, bis zur Fruchtreife bleibend, mit Stieldrüsen. Hagebutte orange, flaschenförmig, mit Stieldrüsen und Stachelborsten. Blütezeit: V–VIII. Standort: Latschengebüsche, Hochstaudenfluren, lichte Bergwälder; bis über 2500 m. Verbreitung: Alpen; Gebirge Mittel- und Südeuropas.

1 Dolomiten-Fingerkraut ⑤

Potentilla nitida
(Rosengewächse)

Polsterförmig wachsende, silbrig glänzend behaarte Pflanze. Grundblätter meist 3teilig, kurzgestielt. Stengel 1- oder 2blütig. Blüten bis 3 cm im Durchmesser; Kronblätter rundlich, vorne ausgerandet; Kelchblätter breit lanzettlich, innen dunkelrot; Staubfäden purpurrot; Griffel 4–5 mm lang, fadenförmig, purpurrot. Blütezeit: VI–VIII. Standort: Felsspalten, Felsschutt; nur auf Kalk und Dolomit. Verbreitung: Südliche Kalkalpen vom Comer See nach Osten bis Krain, Kärnten und Steiermark.

2 Mont Cenis-Hauhechel

Ononis cristata
(Schmetterlingsblütler)

Bis 15 cm hohe, kriechende, etwas drüsig behaarte Pflanze ohne Dornen. Blüten einzeln auf einem gegliederten, langen Stiel in den Blattachseln; Fahne dunkelrosa, Flügel und Schiffchen weißlich. Frucht hängend, etwas gedunsen, länger als der Kelch, wie der Kelch dicht drüsig behaart. Blütezeit: V–IX. Standort: Trockener Felsschutt, Felshänge, lichte Bergwälder; stets auf Kalk; bis fast 2000 m. Verbreitung: Südwestalpen; von den spanischen Gebirgen durch die Pyrenäen bis in die Abruzzen.

3 Berg-Esparsette

Onobrychis montana
(Schmetterlingsblütler)

Bis 50 cm hohe, zerstreut behaarte bis fast kahle Pflanze. Blätter gefiedert, mit 11–17 länglichen, oberseits kahlen, unterseits kurzhaarigen Blättchen. Blüten 1–1,5 cm lang, rosa mit dunkelroten Nerven, in langgestielten Blütenständen; Fahne etwa 2 mm kürzer als das Schiffchen, Flügel etwa so lang wie der Kelch. Frucht 6–8 mm lang, kurzhaarig, am Rand mit 4–8 0,5–2 mm langen Zähnen.

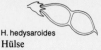

O. montana
Hülse

Blütezeit: VI–VIII. Standort: Rasenbestände, auf kalkhaltigen Böden; meist über 1500 m. Verbreitung: Alpen, Apennin, Karpaten, Nordwestjugoslawien.

4 Alpen-Süßklee

Hedysarum hedysaroides
(Schmetterlingsblütler)

Bis 30 cm hohe Pflanze mit reich beblättertem Stengel. Blätter unpaarig gefiedert mit breit lanzettlichen, ganzrandigen Blättchen. Blüten etwa 2 cm lang, hängend, in langgestielten, einseitswendigen Trauben; Frucht platt, zwischen den Samen eingeschnürt.

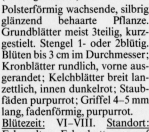

H. hedysaroides
Hülse

Blütezeit: VII–VIII. Standort: Rasen, Zwergstrauchbestände und Hochstaudenfluren; stets auf Kalk; meist über 1500 m. Verbreitung: Alpen; von Zentralspanien bis zu den Karpaten und Sudeten.
Ähnliche Art: Boutignys Süßklee, ⑤ *H. boutignyanum* (Blättchen vorne ausgerandet, Blüten gelblichweiß oder weiß mit hellvioletter Äderung), in den Südwestalpen.

1 Tiroler Tragant ⑤

Astragalus leontinus
(Schmetterlingsblütler)

Bis 20 cm hohe Pflanze, zerstreut mit medifixen Haaren bedeckt; Nebenblätter am Grund verwachsen; Blätter unpaarig gefiedert, mit 11–21 elliptischen, stumpfen Blättchen. Blüten bis 1,5 cm lang, aufwärts gerichtet, fast ungestielt, in dichten Trauben auf kräftigen, oben dunkel behaarten, die Blätter überragenden Stielen; Kronblätter rosa bis violettblau, Fahne schmal eiförmig, vorne kurz eingeschnitten, kaum länger als die Flügel, aber erheblich länger als das Schiffchen; Kelch röhrenförmig, dicht angedrückt schwarzhaarig, verblüht kaum aufgeblasen. Früchte bis 1 cm lang, bis 5 mm breit, kaum aufgeblasen, mit angedrückten weißen und schwarzen Haaren.

Blütezeit: VI–VIII. Standort: Felsschutt, lückige Rasen, lichte Nadelwälder; stets auf Kalk; bis etwa 2500 m. Verbreitung: Alpen vom Dauphiné bis zum Fassatal, nach Nord- und Osttirol und bis in die Belluneser Alpen.

2 Gebirgs-Spitzkiel

Oxytropis jacquinii
(Schmetterlingsblütler)

Bis 20 cm hohe, spärlich behaarte Pflanze mit meist deutlich entwickeltem Stengel. Blätter unpaarig gefiedert, blaugrün, mit 25–41 breit lanzettlichen, spitzen Blättchen; Nebenblätter frei oder am Grund mit dem Blattstiel verwachsen. Blütenstand langgestielt, vielblütig; Kronblätter purpurviolett, trocken blau, Fahne 1–1,4 cm lang, Schiffchen mit zahnartigem Spitzchen; Kelchzähne sehr kurz; Hülsen aufrecht, länglich eiförmig, etwas behaart, reif fast kahl, mit langem, aus dem Kelch herausragendem Stiel.

Blütezeit: VII–VIII. Standort: Felsschutt, lückige Rasen; stets auf Kalk; über 1500 m. Verbreitung: Alpen.

Ähnliche Arten: **Lappländer Spitzkiel**, *O. lapponica* (Nebenblätter bis über die Mitte miteinander, aber nicht mit dem Blattstiel verwachsen, Hülse dunkelhaarig, hängend). **Pyrenäen-Spitzkiel**, *O. pyrenaica* (Pflanze stengellos, Stiel des Blütenstandes abstehend behaart, Hülsen hängend), durch die Südalpen bis zur Rax. **Armblütiger Spitzkiel**, *O. triflora* (Pflanze stengellos, Stiel des Blütenstandes angedrückt behaart, 3- bis 5blütig), auf Kalkschiefer in den Tauern. **Gaudins Spitzkiel**, *O. helvetica* (Krone blaß blau bis blauviolett, Pflanze stengellos, seidig grau behaart, Stiel des Blütenstandes dünn, niederliegend), auf Kalkschiefer in den Südwestalpen. **Amethyst-Spitzkiel**, *O. amethystea* (Krone blaß purpurn, im Verblühen hell grauviolett, Pflanze stengellos, wollig behaart, Stengel des Blütenstandes aufrecht), auf Kalk in den Südwestalpen.

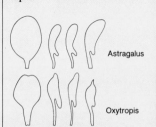

Astragalus

Oxytropis

Fahnen, Flügel und Schiffchen

Hinweis: In den Alpen gibt es noch einige ähnliche nicht immer einfach zu unterscheidende Arten von **Tragant** und **Spitzkiel**. Ihre Zugehörigkeit zur Gattung *Astragalus* ist an dem stumpfen Schiffchen zu erkennen, ihre Zugehörigkeit zur Gattung *Oxytropis* an dem mit einem zahnartigen Spitzchen endenden Schiffchen.

1 Bleicher Klee

Trifolium pallescens
(Schmetterlingsblütler)

Pflanze mit niederliegenden, kahlen, an den Knoten nicht wurzelnden Stengeln. Blätter 3zählig, kahl. Blütenstände bis 2 cm breit, auf langen Stielen in den Blattachseln; Blüten gestielt; Blütenstiele länger als die Kelchröhre; Kelch 10nervig; Krone 5–10 mm lang, gelblichweiß bis rosa. <u>Blütezeit</u>: VI–VIII. <u>Standort</u>: Felsschutt, lückige Rasen; auf kalkarmen Böden; 1800 bis 3000 m. <u>Verbreitung</u>: Vorwiegend in den Zentral- und Südalpen; von den Pyrenäen und vom Plateau Central bis zur Balkanhalbinsel.

<u>Ähnliche Arten</u>: **Bastard-Klee,** *T. hybridum* (Kelch 5nervig, Stengel aufsteigend, Krone weiß bis rosa). **Kriechender Klee,** *T. repens* (Stengel kriechend und an den Knoten wurzelnd, Kelch 5nervig, Krone weiß). **Thals Klee,** *T. thalii* (Pflanze stengellos, Stiele der Blütenstände aus grundständigen Blattbüscheln, Blütenstiele kürzer als die Kelchröhre). **Schnee-Klee,** *T. pratense var. frigidum* (Pflanze aufrecht, anliegend behaart, Teilblätter wenigstens unterseits behaart, Blütenstände bis 4 cm breit). **Norischer Klee,** *T. noricum* (Stengel abstehend behaart, Krone blaßgelb).

2 Alpenklee

Trifolium alpinum
(Schmetterlingsblütler)

Bis 20 cm hohe, kahle, stengellose Pflanze. Blätter alle grundständig, gestielt, 3zählig, mit schmalen, bis 10 cm langen Blättchen. Blüten gestielt, bis 2 cm lang, duftend, in langgestielten, kopfartigen Blütenständen.
<u>Blütezeit</u>: VI–VIII. <u>Standort</u>: Dichte Rasenbestände, auf tiefgründigen, sauren Böden; von 1500 bis 3100 m. <u>Verbreitung</u>: Weite Teile der Alpen, fehlt in den Nördlichen Kalkalpen von Österreich und Bayern sowie in den Südlichen Kalkalpen östlich von Sexten; von Nordspanien bis Siebenbürgen.

3 Purpur-Zwergginster

Chamaecytisus purpureus
(Schmetterlingsblütler)

Bis 50 cm hoher, kahler bis zerstreut behaarter kleiner Strauch. Zweige niederliegend-aufsteigend. Blätter 3zählig, gestielt, Blättchen elliptisch. Blüten einzeln oder bis zu 4 in den Blattachseln; Kelch röhrenförmig, erheblich länger als breit, 2lippig mit 2teiliger Oberlippe und kurz 3zähniger Unterlippe; Krone 1,5–2,5 cm lang, Schiffchen, Flügel und Fahne im unteren Teil am Rand gewimpert; Hülse 2–4 cm lang, etwa 5 mm breit, kahl.

C. purpureus

Kelch

<u>Blütezeit</u>: IV–VI. <u>Standort</u>: Felshänge, lichte Wälder; auf kalkhaltigen Böden; bis 1500 m. <u>Verbreitung</u>: Südalpen, vom Comer See ostwärts; Kroatien, Istrien.

1 Wald-Storchschnabel

Geranium sylvaticum
(Storchschnabelgewächse)

Bis 70 cm hohe, oben drüsig behaarte Pflanze. Grundblätter langgestielt, bis 15 cm breit, mit 5–7 grob und unregelmäßig gezähnten Lappen; obere Stengelblätter klein, gegenständig. Blüten paarweise, zu straußartigen Blütenständen zusammengefaßt; Kronblätter rotviolett, ausgebreitet, bis 2 cm lang, vorne abgerundet; Blütenstiele stets aufrecht; Staubfäden am Grund allmählich breiter.

Blütezeit: VI–VIII. Standort: Hochstaudenfluren, Wiesen, Bergwälder, Latschengebüsche. Verbreitung: Alpen; weite Teile Europas und Asiens.

Ähnliche Art: **Wiesen-Storchschnabel**, *G. pratense* (Blütenstiele nach dem Verblühen herabgebogen, später wieder aufrecht, Kronblätter blauviolett, dunkler geädert, Staubfäden am Grund plötzlich breiter), in feuchten Wiesen und an Bachufern tieferer Lagen.

2 Großwurzeliger Storchschnabel

Geranium macrorrhizum
(Storchschnabelgewächse)

Bis 40 cm hohe Pflanze mit sehr kurzen (0,05 mm) Drüsenhaaren sowie 1–2 mm langen, abstehenden, drüsenlosen Haaren und mit dickem, oft teilweise oberirdischem Rhizom. Stengel aufrecht, nur am Grund des Blütenstandes mit einem Blattpaar; alle übrigen Blätter grundständig, bis 10 cm breit, tief 5- bis 7teilig, mit wenig zerteilten Abschnitten; Kronblätter verkehrt eiförmig, bis 2 cm lang, vorn abgerundet; Kelchblätter 8–10 mm lang, mit aufgesetzter Grannenspitze.

Blütezeit: VI–VIII. Standort: Felsschutt, Rasen, lichte Gebüsche; stets auf Kalk; von etwa 200 m bis über 1500 m. Verbreitung: Seealpen und südöstliche Kalkalpen (vom Gardaseegebiet ostwärts); Apennin, Balkanhalbinsel.

3 Silber-Storchschnabel Ⓢ

Geranium argenteum
(Storchschnabelgewächse)

Bis 15 cm hohe, silberweiß glänzend behaarte Pflanze. Grundblätter in Rosetten, langgestielt, 2–3 cm im Durchmesser, bis zum Grund in 5–7 tief geteilte Blattlappen zerteilt. Blühende Stengel mit vor dem Aufblühen nickenden, später aufrechten, die Grundblätter kaum überragenden Blüten; Kronblätter verkehrt eiförmig, etwa 1,5 cm lang, meist etwas ausgerandet, hell rosarot mit dunkleren Adern.

Blütezeit: VII–IX. Standort: Felsschutt, Felsspalten; stets auf Kalk; von etwa 1600 bis über 2000 m. Verbreitung: Südliche Kalkalpen, Dauphiné; Apennin, Apuanische Alpen.

1 Comollis Veilchen

Viola comollia
(Veilchengewächse)

Bis 5 cm hohe Pflanze mit kurzem, niederliegendem Stengel. Blätter ganzrandig, fast kreisrund, gestielt; Nebenblätter ähnlich, aber kleiner. Blüten 2–3 cm hoch; Kronblätter oberseits rosarot, unterseits blaßgelb; Sporn 2(–4) mm lang.
Blütezeit: VII–VIII. Standort: Silikat-Felsschutt; über 1500 m.
Verbreitung: Endemisch in den Orobischen Alpen.

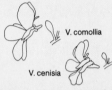

Blüten und Stengelausschnitte mit Nebenblättern und Blattstielen

Ähnliche Art: **Mont Cenis-Veilchen**, *V. cenisia* (Kronblätter beiderseits rosaviolett, Sporn 5–10 mm lang), auf Kalk; von den Seealpen bis Graubünden und bis zum Säntis.

2 Schmalblättriges Weidenröschen

Epilobium angustifolium
(Nachtkerzengewächse)

Bis 1,80 m hohe Pflanze mit beblättertem Stengel. Blätter wechselständig, lanzettlich, mehrnervig, bis 15 cm lang, bis 2 cm breit, oberseits dunkelgrün, unterseits blaugrün. Blüten bis 3 cm breit. Kelchblätter schmal, fast so lang wie die Kronblätter, rötlich; Kronblätter ungleich groß, rundlich, ausgebreitet.
Blütezeit: VI–IX. Standort: Waldschläge, Wegränder, Felsschutt, Gebüsche; bis über 2000 m. Verbreitung: Alpen; fast ganz Europa und Asien, Nordamerika.

3 Fleischers Weidenröschen

Epilobium fleischeri
(Nachtkerzengewächse)

Bis 50 cm hohe Pflanze. Blätter wechselständig, 1nervig, bis 4 cm lang, bis 5 mm breit, schmal lanzettlich, kahl, am Rand drüsig gezähnt. Blüten bis 4 cm breit, 4zählig; Kelchblätter schmal, fast so lang wie die Kronblätter, purpurn bis rotbraun; Kronblätter kräftig rosarot.
Blütezeit: VI–IX. Standort: Bachufer, Felsschutt; auf Silikat; bis über 2500 m. Verbreitung: Von den Seealpen ostwärts, hauptsächlich in den Zentralalpen.
Ähnliche Art: **Dodonaeus' Weidenröschen, Rosmarin-Weidenröschen,** *E. dodonaei* (Blätter ganzrandig, Kronblätter zartrosa), auf Kalk in tieferen Lagen.

4 Steinröschen Ⓢ ✚

Daphne striata
(Seidelbastgewächse)

Bis 40 cm hoher, immergrüner Zwergstrauch. Blätter an den Zweigenden gedrängt, schmal keilförmig, stumpf, lederig derb. Blüten in Büscheln an den Zweigenden, außen kahl, zart gestreift, duftend.
Blütezeit: V–VIII. Standort: Lückige Rasen, lockere Latschenbestände; meist auf Kalk; bis weit über 2500 m. Verbreitung: Alpen vom Vierwaldstätter See ostwärts.
Ähnliche Arten: **Heideröschen,** *D. cneorum* (Blüten einfarbig, außen behaart). **Felsröschen,** *D. petraea* (Spalierstrauch mit knorrigen Ästen, Blüten außen dicht behaart), in Dolomitfelsspalten der Südalpen.

1 Alpen-Mutterwurz

Ligusticum mutellina
(Doldengewächse)

Bis 50 cm hohe, kahle Pflanze. Blätter mehrfach fiederschnittig mit linealischen Blattzipfeln. Dolden meist ohne Hüllblätter; Hüllchenblätter lanzettlich, etwa so lang wie die Blütenstiele. Kronblätter weißlichrosa bis rot; Frucht eiförmig, 4–6 mm lang, bis 3 mm breit, bräunlich, kahl, mit hellen Längsrippen.

L. mutellina

L. mutellinoides

Früchte

Blütezeit: VI–IX. Standort: Almwiesen, Grünerlen- und Zwergstrauchgebüsch, Bergwälder; meist über 1500 m. Verbreitung: Alpen; Gebirge Mittel- und Südeuropas.
Ähnliche Art: **Zwerg-Mutterwurz,** *L. mutellinoides* (Dolden mit zahlreichen Hüllblättern, die so lang sind wie die äußeren Doldenstrahlen und ihnen anliegen).

2 Große Bibernelle

Pimpinella major
(Doldengewächse)

Bis 1 m hohe, meist völlig kahle Pflanze. Stengel kantig gefurcht, hohl. Blätter einfach gefiedert; Grundblätter mit 4–8 eiförmigen, unregelmäßig gezähnten Seitenfiedern und einer oft 3lappigen Endfieder; Stengelblätter ähnlich, nach oben hin kleiner. Dolden mit 10–15 Strahlen; Hüll- und Hüllchenblätter fehlen; Kronblätter in tieferen Lagen weiß, in höheren Lagen rosa bis weinrot; Griffel nach dem Abfallen der Kronblätter länger als Frucht und Griffelpolster zusammen; reife Frucht breit eiförmig, kahl, braun, mit hellen Längsrippen.

Blütezeit: VI–IX. Standort: Rasen, Gebüsche, Bergwälder, Hochstauden- und Lägerfluren; bis über 2000 m. Verbreitung: Alpen; fast ganz Europa.

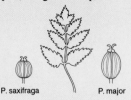

P. saxifraga

P. major

Grundblatt und Früchte

Ähnliche Art: **Kleine Bibernelle,** *P. saxifraga* (Stengel fein gerillt oder glatt, markig, nur das unterste Stengelblatt den Grundblättern ähnlich, die übrigen sehr klein mit tief zerteilten Abschnitten).

3 Alpenazalee

Loiseleuria procumbens
(Heidekrautgewächse)

Rasenförmig wachsender Zwergstrauch mit dicht beblätterten Zweigen. Blätter ledrig, immergrün, schmal elliptisch, etwa 5 mm lang und 2 mm breit, ganzrandig mit nach unten umgebogenem Rand. Krone breit glokkenförmig, tief 5spaltig; Kelchblätter nicht verwachsen, dunkelrot.
Blütezeit: VI–VII. Standort: Felsblöcke, schneefreie Grate, Zwergstrauchheiden und Krummseggenrasen; stets auf Silikat oder Rohhumus; bis 3000 m. Verbreitung: Europäische Hochgebirge; Arktis.

1 Zwerg-Alpenrose Ⓢ

Rhodothamnus chamaecistus
(Heidekrautgewächse)

10–30 cm hoher, locker verzweigter Zwergstrauch. Blätter länglich, gesägt, bewimpert, immergrün, an den Astspitzen dichter stehend. Blüten auf langen, drüsig behaarten Stielen; Krone bis zu 3 cm breit, fast bis zum Grund 5lappig; Kelch tief 5teilig, Kelchblätter am Rand drüsenhaarig; Staubbeutel schwarzbraun. Blütezeit: V–VII. Standort: Felsspalten und Felsschutt, seltener Latschengebüsch; auf Kalk oder Dolomit; bis über 2000 m. Verbreitung: Alpen vom Comer See, von der Brenta und vom Allgäu ostwärts.

2 Bewimperte Alpenrose Ⓢ

Rhododendron hirsutum
(Heidekrautgewächse)

Reich verzweigter Strauch mit gleichmäßig beblätterten Zweigen. Blätter flach, beiderseits grün, am Rand mit kurzen, breiten Zähnen und abstehenden Wimpern. Kronblätter weit miteinander verwachsen, Krone glockenförmig, hellrot. Blütezeit: VI–VIII. Standort: Kalkböden; vom Felsschutt bis in lichte Bergwälder; bis über 2500 m. Verbreitung: Kalkgebiete der mittleren und östlichen Alpen; Tatra, Balkan. Ähnliche Art: **Rostrote Alpenrose,** *R. ferrugineum* (Blätter mit nach unten umgebogenem Rand, unterseits dicht rostbraun schuppig, an den Zweigenden gehäuft, Krone leuchtend rot), auf sauren Böden (Abbildung Seite 2/3).

3 Schneeheide

Erica herbacea (= E. carnea)
(Heidekrautgewächse)

Bis 30 cm hoher Zwergstrauch. Blätter nadelartig, immergrün, in 4zähligen Quirlen. Blüten in einseitswendigen Trauben; Krone schmal glockenförmig, bis 5 mm lang; Kelchblätter rötlich, etwa halb so lang wie die Krone; Staubbeutel dunkelbraun, aus der Krone ragend. Blütezeit: III–VI. Standort: Felsschutt, Rasen, Latschengebüsche, lichte Nadelwälder; meist auf Kalk; von Tallagen bis über die Baumgrenze. Verbreitung: In den Alpen vom Genfer See und von den Seealpen ostwärts; Alpenvorland; Tatra, Apennin, Slowenien.

4 Zwergprimel Ⓢ

Primula minima
(Primelgewächse)

Bis 4 cm hohe Pflanze. Blätter rosettenartig gedrängt, keilförmig, bis 2 cm lang, glänzend, vorne abgestutzt mit großen, knorpeligen Sägezähnen. Blüten bis 3 cm breit, meist einzeln auf einem kaum sichtbaren Schaft; Kronlappen tief eingeschnitten; Kelch schmal glockig. Blütezeit: VI–VII. Standort: Felsschutt, Schneetälchen, Rasen, Zwergstrauchheiden; auf kalkarmen Böden; von etwa 1500 bis 3000 m. Verbreitung: Alpen vom Karwendel und Wetterstein im Norden und Tonale im Süden ostwärts; Karpaten, Balkan.

1 Mehlprimel ⑤

Primula farinosa
(Primelgewächse)

Bis 30 cm hohe Pflanze. Blätter grundständig, spatelförmig, oberseits grün, auf der Unterseite dicht mit Mehlstaub bedeckt, am Rand meist kerbig gesägt. Blüten 1–1,5 cm lang, auf einem oben mehlig bestäubten Schaft; Krone 5lappig, 8–15 mm breit; Kelch etwa so lang wie die Kronröhre. Blütezeit: V–VII. Standort: Flachmoore, Rasen, Felsschutt; auf Kalk; von der Ebene bis über die Baumgrenze. Verbreitung: Alpen, Alpenvorland, Arktis, Gebirge Europas.

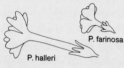

P. farinosa

P. halleri

Blüten

Ähnliche Art: **Hallers Primel,** *P. halleri* (Blüten 2–3 cm lang, Kelch höchstens halb so lang wie die Kronröhre, Blätter unterseits gelblichweiß mehlig).

2 Breitblättrige Primel ⑤

Primula latifolia
(Primelgewächse)

Bis 20 cm hohe Pflanze mit grundständigen, bis 15 cm langen, verkehrt eiförmigen, meist nur an der Spitze grob gezähnten, fleischigen, klebrigen Blättern ohne weißen Knorpelrand. Blüten duftend, auf einem drüsigen Schaft; Kelch bis 6 mm; Krone im Schlund etwas mehlig, trichterförmig, Kronsaum mit etwas ausgerandeten Zipfeln. Blütezeit: VI–VIII. Standort: Felsspalten, Felsschutt; auf Silikat; von 2000 bis 3000 m. Verbreitung: Vom Unterengadin, Veltlin und von den Bergamasker Alpen westwärts bis in die Ostpyrenäen.

3 Piemont-Primel ⑤

Primula pedemontana
(Primelgewächse)

Bis 15 cm hohe Pflanze. Blätter grundständig, bis 5 cm lang, bis 3 cm breit, allmählich in den Stiel verschmälert, gezähnt oder fast ganzrandig, auf der Fläche kahl, nur am Rand mit kurzen, oft roten Drüsenhaaren. Blüten etwa 2 cm breit, auf drüsig behaartem Schaft; Kronzipfel ausgerandet, Kronröhre außen mit Drüsenhaaren. Blütezeit: V–VII. Standort: Lückige Rasen, Felsspalten, Felsschutt; auf kalkarmen Böden; von 1300 bis 3000 m. Verbreitung: Grajische und Cottische Alpen; Nordspanien.

Primula spectabilis

Hinweis: Einige ähnliche Arten, die ganzrandige Blätter mit kahlem oder höchstens mit wenigen sitzenden Drüsen besetztem Rand haben, z. B. **Pracht-Primel,** *P. spectabilis* (Blätter oberseits mit durchscheinenden Drüsenpunkten), in den Südalpen von der Brenta-Gruppe bis in die Vicentiner Alpen. **Meergrüne Primel,** *P. glaucescens* (Blätter völlig kahl, spitz, blaugrün), vom Comer See bis in die Judikarischen Alpen.

3

1 Leim-Primel ⑤

Primula hirsuta
(Primelgewächse)

Bis 10 cm hohe, dicht mit hellen Drüsenhaaren besetzte Pflanze. Blätter rasch in den kurzen, geflügelten Stiel verschmälert, mit gezähntem Rand, klebrig. Blüten etwa 2 cm breit; Schaft meist kürzer als die Blätter, Blütenstiele oft fast so lang wie der Schaft; Kronzipfel ausgerandet, Kronröhre außen mit Drüsenhaaren; Kelch kurzglockig, 3–7 mm lang, Kelchzähne 3eckig. <u>Blütezeit</u>: IV–VI. <u>Standort</u>: Felsschutt, Felsspalten, lückige Rasen; auf kalkarmen Böden; meist über 1500 m. <u>Verbreitung</u>: Von den Grajischen Alpen bis zu den Hohen Tauern.

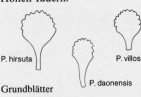

P. hirsuta

P. villosa

P. daonensis

Grundblätter

<u>Ähnliche Arten</u>: **Inntaler Primel,** *P. daonensis* (Schaft oft länger als die Blätter, Drüsenhaare rot, Kelchzähne rundlich-eiförmig, stumpf), von den nördlichen Bergamasker Alpen bis zum Ortlergebiet und bis zu den Judikarischen Alpen. **Zottige Primel,** *P. villosa* (Schaft oft länger als die Blätter, Drüsenhaare rot, Kelchzähne kurz 3eckig), in den Norischen Alpen.

2 Ganzrandige Primel ⑤

Primula integrifolia
(Primelgewächse)

Bis 5 cm hohe, mit kurzen, farblosen Drüsenhaaren besetzte, aber kaum klebrige Pflanze. Blätter weich, hellgrün, bis 3 cm lang, bis 1 cm breit, ganzrandig. Blüten 1,5–2,5 cm breit, fast sitzend, meist zu zweien auf sehr kurzem Schaft; Kronlappen eingeschnitten; Kelch mit eiförmigen, stumpfen Zähnen. <u>Blütezeit</u>: V–VII. <u>Standort</u>: Kalkarme, feuchte Böden; meist über 2000 m. <u>Verbreitung</u>: Von Vorarlberg und vom Monte Tonale westwärts bis ins Berner Oberland und nach Savoyen; Pyrenäen.

3 Fleischroter Mannsschild ⑤

Androsace carnea
(Primelgewächse)

Pflanze mit wenigen Rosetten. Blätter 5–15 mm lang, lineal lanzettlich, ganzrandig, mit meist 3- und mehrstrahligen Haaren, matt. Blütenstand doldenartig, auf einem deutlichen Schaft; Blütenstiele 2–10 mm lang, wie der Schaft mit zahlreichen sehr kurzen (0,05–0,2 mm langen), einfachen und verzweigten Haaren; Krone hell- bis dunkelrosa (selten weiß) mit gelbem Schlund; Kronzipfel etwa so lang wie die Kronröhre, 2–4 mm lang, abgerundet oder wenig ausgerandet. <u>Blütezeit</u>: VI–VIII. <u>Standort</u>: Ruhender Felsschutt und lückige Rasen; auf Silikat; meist über 2000 m. <u>Verbreitung</u>: Silikatgebiete der Westalpen, nach Osten bis zum Simplon; Pyrenäen.

1 Alpen-Mannsschild ⑤

Androsace alpina
(Primelgewächse)

In lockeren Rasen wachsende, kurzhaarige, bis 5 cm hohe Pflanze. Blätter 3–6 mm lang, an den Zweigenden rosettenartig gedrängt, oberseits auf der Fläche kahl. Blüten einzeln, kaum über die Blätter ragend; Kronsaum bis 5 mm breit, Kronzipfel abgerundet.
Blütezeit: VII–VIII. Standort: Kalkarme, lange schneebedeckte Böden; von 2000 bis 4000 m. Verbreitung: Hauptsächlich in den zentralen Teilen der Alpen, in den Nord- und Südalpen selten.

2 Alpenveilchen ⑤

Cyclamen purpurascens
(= C. europaeum)
(Primelgewächse)

Pflanze mit breit eiförmigen bis nierenförmigen, oberseits hell gefleckten, unterseits purpurnen Blättern. Blüten einzeln, nickend, duftend; Kronlappen bis 2 cm lang, zurückgeschlagen.
Blütezeit: VI–IX. Standort: Bergwälder, Gebüsche, lückige Rasen; auf kalkreichen Böden; bis 2000 m. Verbreitung: Alpen; von Südostfrankreich bis zu den Karpaten und nach Jugoslawien.

3 Alpen-Grasnelke ⑤

Armeria maritima subsp. alpina
(Grasnelkengewächse)

Bis 30 cm hohe, meist in dichten Polstern wachsende Pflanze. Blätter grasartig, bis 8 cm lang. Stengel kahl, blattlos. Blüten in den Achseln häutiger Tragblätter in köpfchenartigen Blütenständen.
Blütezeit: VI–IX. Standort: Felsspalten, Felsschutt, lückige Rasen; besonders auf Kalk und Kalkschiefer; 1500 bis 3000 m. Verbreitung: Alpen; Spanien, Pyrenäen, Karpaten.

4 Heilglöckel ⑤

Cortusa matthioli
(Primelgewächse)

Cortusa matthioli

Bis 50 cm hohe, zottig behaarte und drüsige Pflanze. Blätter grundständig, rundlich, unregelmäßig gelappt, grob gezähnt, bis 10 cm breit. Blüten langgestielt, auf langem Schaft; Krone trichterförmig, bis 1 cm lang, in 5 kurze Kronlappen geteilt.
Blütezeit: VI–VIII. Standort: Feuchter Felsschutt, Hochstaudenfluren, Grünerlengebüsche; bis 2000 m. Verbreitung: In den Alpen sehr zerstreut; Gebirge Europas und Asiens.

5 Ungarischer Enzian ⑤

Gentiana pannonica
(Enziangewächse)

Bis 60 cm hohe Pflanze. Blätter kreuzgegenständig, elliptisch bis lanzettlich. Blüten in den Achseln der oberen Stengelblätter; Kelch glockig, mit 5–8 nach außen gebogenen Zähnen.
Blütezeit: VI–IX. Standort: Almweiden, Hochstaudenfluren, Bergwälder; meist über 1300 m. Verbreitung: Alpen von Niederösterreich bis Bayern, weiter westlich nur vereinzelt.

G. pannonica   G. purpurea
Kelche

Ähnliche Art: **Purpur-Enzian**, *G. purpurea* (Kelch 2teilig, auf einer Seite fast bis zum Grund aufgeschlitzt), von Oberstdorf und Landeck nach Westen.

1 Rauher Enzian ⓢ

Gentianella (Gentiana) aspera
(Enziangewächse)

Bis 40 cm hohe, kahle, oft vom Grund an verzweigte Pflanze. Stengelblätter eiförmig, am Rand papillös rauhhaarig. Krone oben 5teilig, im Schlund bärtig, 3–4 cm lang, meist violett, selten weiß; Kronzipfel 9–15 mm lang, 5–10 mm breit; Kelch röhrenförmig, der Krone anliegend, Kelchzipfel lanzettlich, etwas ungleich groß, am oft zurückgebogenen Rand und an der Mittelrippe papillös rauh, die Buchten zwischen den Kelchzipfeln spitz. <u>Blütezeit</u>: V–X. <u>Standort</u>: Lockere Rasen, Almweiden, lückige Latschengebüsche, ruhender Felsschutt; meist auf Kalk; bis über 2000 m. <u>Verbreitung</u>: Ost- und Zentralalpen; Berge Süddeutschlands und der West-Tschechoslowakei.
<u>Hinweis</u>: Im Bereich der Alpen zahlreiche ähnliche Arten, von denen die folgenden beiden am leichtesten kenntlich sind: **Deutscher Enzian,** *G. germanica* (Kelchzipfel glatt); **Feld-Enzian,** *G. campestris* (Blüten 4zählig).
Die Gattung *Gentianella* unterscheidet sich von der (ebenfalls Enzian genannten) Gattung *Gentiana* durch die im Schlund bärtige Krone.

2 Großblütige Taubnessel

Lamium orvala
(Lippenblütler)

Bis 1 m hohe Pflanze ohne Ausläufer. Stengel 4kantig, zerstreut behaart. Blätter herzförmig, gestielt, gegenständig, bis 15 cm lang und bis 10 cm breit, grob gezähnt. Blüten in Quirlen in den Achseln der oberen Blätter; Krone 3–4 cm lang, kaum gebogen, auf der Unterlippe mit dunklen Flecken, seitliche Abschnitte der Unterlippe mit sehr schmalen Zähnen; Antheren violett, kahl. <u>Blütezeit</u>: V–VII. <u>Standort</u>: Gebüsche, Bergwälder, Hochstaudenfluren; bis 1500 m. <u>Verbreitung</u>: Südalpen von den Bergamasker Alpen ostwärts; Balkanhalbinsel.
<u>Ähnliche Art</u>: **Gefleckte Taubnessel,** *L. maculatum* (Pflanze mit Ausläufern, Krone 2–3 cm lang, Kronröhre deutlich gebogen, Antheren behaart), in Bergwäldern nicht selten.

3 Dichtblütiger Ziest

Stachys monieri (= *S. densiflora*)
(Lippenblütler)

Bis 30 cm hohe, abstehend behaarte Pflanze. Stengel 4kantig. Blätter gegenständig, schmal eiförmig mit herzförmigem Grund, gezähnt. Blüten am Stengelende gedrängt; Krone 1,5–2,2 cm lang, 2lippig; Oberlippe ganzrandig, flach; Staubblätter gerade nach vorn gestreckt. <u>Blütezeit</u>: VII–VIII. <u>Standort</u>: Trockene Wiesen, Zwergstrauchbestände; von 1000 bis 2500 m. <u>Verbreitung</u>: West- und Südalpen; südeuropäische Gebirge.

1|2

3

1 Langhaariger Thymian

Thymus praecox
subsp. polytrichus
(Lippenblütler)

Zwergstrauch mit kriechenden Zweigen, die nicht in einem Blütentrieb enden. Blütenstengel 4kantig, bis 10 cm hoch, auf zwei Seiten behaart. Blätter rundlich, am Grund gewimpert. Blütezeit: V–VIII. Standort: Ruhender Felsschutt, lückige Rasen; auf Kalk. Verbreitung: In den Alpen bis etwa 2500 m, Bergländer Südeuropas und des südlichen Mitteleuropas.

2 Seealpen-Bergminze

Micromeria marginata
(Lippenblütler)

Bis 20 cm hoher Strauch mit behaarten Zweigen. Blätter eiförmig, 6–12 mm lang, ganzrandig. Blüten gestielt, in den Achseln der oberen Blätter; Krone 1,2–1,6 cm, Griffeläste gleich lang, zugespitzt; Kelch 13nervig, Kelchzähne pfriemlich, halb so lang wie die Kelchröhre. Blütezeit: VII–IX. Standort: Kalkfelsspalten; bis 2000 m. Verbreitung: Seealpen und Ligurische Alpen.

3 Leberbalsam   Ⓢ

Erinus alpinus
(Braunwurzgewächse)

Bis 30 cm hohe, etwas klebrige und zerstreut wollig behaarte Pflanze. Blätter bis 2 cm lang, spatelförmig, kerbig gesägt. Kelch fast bis zum Grund 5teilig; Krone mit 5 ungleich großen Lappen, bis 1 cm breit. Blütezeit: IV–VII. Standort: Felsspalten, Felsschutt, lückige Rasen; auf Kalk; 1500 bis 2500 m. Verbreitung: Alpen, ostwärts bis zum Arlberg und ins Gardaseegebiet; Südspanien bis Mittelitalien.

4 Breitblättriger Ehrenpreis

Veronica urticifolia
(Braunwurzgewächse)

Bis 70 cm hohe, spärlich behaarte Pflanze. Blätter eiförmig, sitzend, grob gezähnt. Blüten in langgestielten Trauben in den Achseln der oberen Stengelblätter; Blütenstiele drüsenhaarig; Krone bis 8 mm breit, rosaweiß mit dunkelrosa Adern; 2 Staubblätter.

V. urticifolia

Frucht

Blütezeit: VI–IX. Standort: Bergwälder, Hochstaudenfluren; bis etwa 2000 m. Verbreitung: Alpen; Alpenvorland, manche Gebirge Europas.

5 Halbstrauchiger Ehrenpreis

Veronica fruticulosa
(Braunwurzgewächse)

Bis 20 cm hohe Pflanze mit vom Grund an verzweigtem, etwas verholzendem Stengel. Blätter gegenständig, länglich, etwas gekerbt. Blüten in einer armblütigen, drüsig-flaumig behaarten Rispe; Blütenstiele, Kelch und Kapsel drüsig behaart; Krone ausgebreitet, hellrosa mit dunkleren Adern; 2 Staubblätter.

V. fruticulosa

Frucht

Blütezeit: V–VIII. Standort: Felsspalten, Felsschutt, lückige Rasen; auf Kalk und Silikat; bis 2700 m. Verbreitung: Alpen (fehlt in den Nordostalpen); Spanien, Pyrenäen, Vogesen.

1|2

3

4|5

1 Rosa Läusekraut

Pedicularis rosea subsp. rosea
(Braunwurzgewächse)

Bis 20 cm hohe Pflanze mit unten kahlem, oben lang weißhaarigem Stengel. Blätter fiederteilig. Tragblätter höchstens so lang wie die Blüten; Krone 1,2–1,8 cm, Oberlippe gerade, vorne abgerundet, stumpf; die zwei längeren Staubfäden dicht behaart; Kelch dicht wollig zottig.
Blütezeit: VII–VIII. Standort: Felsschutt, lückige Rasen; auf Kalk; meist über 1800 m. Verbreitung: Alpen vom Toten Gebirge und von den Bergamasker Alpen ostwärts.
Ähnliche Art: **Allionis Läusekraut**, *P. rosea subsp. allionii* (Tragblätter länger als die Blüten, Staubfäden kahl oder fast kahl), in den Südwestalpen.

2 Geschnäbeltes Läusekraut

Pedicularis rostratocapitata
(Braunwurzgewächse)

Bis 20 cm hohe Pflanze mit bogig aufsteigendem, seitlich am Grund der Grundblattrosette entspringendem Stengel. Blätter doppelt fiederteilig. Blüten in einer kopfartigen Traube; Krone 15–25 cm lang, Oberlippe in einen langen Schnabel verschmälert, Unterlippe am Rand gewimpert; Kelch nur am Rand gewimpert, mit blattartigen, gekerbten Zipfeln.

Blüte   P. rostratocapitata

Blütezeit: VI–VIII. Standort: Lückige Rasen; auf Kalk; meist über 1500 m. Verbreitung: Alpen, von St. Gallen und von den Bergamasker Alpen ostwärts.
Hinweis: In den Alpen einige ähnliche Arten.

3 Gestutztes Läusekraut   Ⓢ

Pedicularis recutita
(Braunwurzgewächse)

Bis 60 cm hohe Pflanze. Stengel beblättert. Blätter gefiedert mit doppelt gesägten Abschnitten. Tragblätter fiederspaltig bis ungeteilt; Kelch kahl; Krone bis 1,5 cm lang, kahl, gelblichgrün, dunkel blutrot überlaufen.
Blütezeit: VI–VIII. Standort: Quellfluren, Rostseggenrasen, Hochstaudenfluren, Grünerlengebüsche; von 1000 bis 2500 m.
Verbreitung: Alpen, von Savoyen bis Niederösterreich und bis zum Bachergebirge.

4 Quirlblättriges Läusekraut

Pedicularis verticillata
(Braunwurzgewächse)

Bis 30 cm hohe Pflanze mit behaartem Stengel. Blätter tief fiederspaltig, stengelständige in einem Quirl sitzend. Krone mit fast gerader, ungeschnäbelter Oberlippe, Kelch aufgeblasen, grauhaarig.
Blütezeit: VI–VIII. Standort: Steinige Rasen; stets auf kalkreichen Böden; meist über 1500 m. Verbreitung: Alpen; Spanien, Pyrenäen, Apennin, Balkanhalbinsel, Karpaten.

1
2
3|4

1 Glänzende Skabiose

Scabiosa lucida
(Kardengewächse)

Bis 40 cm hohe, fast kahle Pflanze. Grundblätter eiförmig bis lanzettlich mit gekerbtem Rand, obere Stengelblätter fiederspaltig. Blüten in einem bis 3 cm breiten, von Hüllblättern umgebenen Köpfchen, Krone ungleichmäßig 5lappig, die Randblüten größer; Kelch mit 5 die Knospen überragenden, am Grund verbreiterten, abgeflachten und gekielten Borsten und trockenhäutigem, über 1 mm hohem Außenkelch. Blütezeit: VI–IX. Standort: Felsschutt, Rasen; meist auf Kalk; meist über 1000 m. Verbreitung: Alpen; von den Pyrenäen bis zur Balkanhalbinsel; Apennin, Karpaten, Vogesen.

S. lucida   Knautia dipsacifolia
Früchte

Hinweis: Im Bereich der Alpen gibt es noch eine Reihe weiterer, nicht immer leicht bestimmbarer Arten von Skabiosen, dazu auch noch zahlreiche Arten der Gattung **Witwenblume**, *Knautia*. Diese unterscheiden sich von den Skabiosen durch 4lappige Blütenkronen, einen höchstens 0,3 mm hohen, unscheinbaren Außenkelch und einen Kelch mit meist 8–10 Borsten.

2 Alpen-Heckenkirsche

Lonicera alpigena
(Geißblattgewächse)

Bis 3 m hoher Strauch. Blätter sommergrün, bis 10 cm lang, elliptisch, meist in eine Spitze ausgezogen, kahl oder zerstreut behaart. Blüten zu 2 auf gemeinsamem, 2,5–5 cm langem Stiel; Kelch undeutlich; Krone 1,5–2 cm lang, 2lippig, am Grund gelblich, nach vorne zu rotbraun; Fruchtknoten der 2 Blüten fast ganz verwachsen. Reife Früchte kirschrot, rundlich, etwa 1 cm im Durchmesser.
Blütezeit: V–VII. Standort: Bergwälder, Gebüsche, Hochstaudenfluren; auf kalkreichen Böden; bis 1950 m. Verbreitung: Alpen, Alpenvorland, Gebirge Mittel- und Südeuropas.

3 Schmalblättrige Spornblume

Centranthus angustifolius
(Baldriangewächse)

Bis 80 cm hohe, vielstengelige Staude. Blätter linealisch, ganzrandig, bis 10 cm lang, bis 5 mm breit, blaugrün. Blütenstand kopfartig, dicht; Krone rosa, Kronröhre 7–10 mm lang, Sporn 2–4 mm, 5 ausgebreitete, bis 3 mm lange Kronzipfel. Frucht etwa 5 mm lang, mit bis 1 cm langer Federkrone.
Blütezeit: V–VIII. Standort: Kalkfelsschutt; bis 2000 m. Verbreitung: Südwestalpen; Jura, Süd- und Westfrankreich, Apennin.
Ähnliche Art: **Rote Spornblume,** *C. ruber* (Blätter lanzettlich, über 5 mm breit, Sporn 5–10 mm lang), in tiefen Lagen.

1 Berg-Baldrian

Valeriana montana
(Baldriangewächse)

Bis 60 cm hohe Pflanze. Grundblätter elliptisch, in den Stiel verschmälert, Stengelblätter gegenständig, eiförmig, sitzend. Blüten in dichten Trugdolden am Stengelende; Krone 4–5 mm lang, hell lilarosa bis fast weiß. Blütezeit: IV–VIII. Standort: Felsspalten, Felsschutt; stets auf Kalk; bis über 2000 m. Verbreitung: Alpen; Karpaten, Gebirge Südeuropas.

2 Zwerg-Baldrian

Valeriana supina
(Baldriangewächse)

5–15 cm hohe, in lockeren Rasen wachsende Pflanze. Blätter dicklich, am Rand kurz gewimpert, spatelig bis fast kreisrund, ganzrandig oder entfernt gezähnelt. Blüten in endständigen, von linealischen Hochblättern umgebenen Köpfchen; Krone 4–5 mm lang. Blütezeit: VII–VIII. Standort: Felsschutt; auf Kalk oder Dolomit; von 1500 bis 2500 m. Verbreitung: Ostalpen von Graubünden bis Krain.

3 Weißfilziger Alpendost

Adenostyles leucophylla
(Korbblütler)

Bis 50 cm hohe Pflanze mit weißfilzigem Stengel. Grundblätter bis 10 cm breit, 3eckig, herzförmig, weiß-filzig, grob gezähnt; Blüten alle röhrenförmig, rot in mehr als 10blütigen, zu Doldentrauben zusammengefaßten Köpfchen. Blütezeit: VI–IX. Standort: Silikatfelsschutt; bis über 2000 m. Verbreitung: Südwestalpen.
Ähnliche Arten: **Filziger Alpendost,** *A. alliariae* (Köpfe 3–6blütig, Blüten rosa, Grundblätter rundlich, bis 50 cm breit, unregelmäßig gezähnt, oberseits grün; Pflanze bis 2 m hoch), in Hochstaudenfluren und Grünerlengebüschen. **Kahler Alpendost,** *A. alpina* (Blätter gleichmäßig gezähnt, fast kahl, Köpfe 3–6blütig, Blüten rosa), auf kalkhaltigen Böden.

4 Einköpfiges Berufskraut

Erigeron uniflorus
(Korbblütler)

Bis 15 cm hohe Pflanze mit 1köpfigen, drüsenlosen Stengeln. Blätter ganzrandig, zerstreut behaart oder kahl, die unteren schmal spatelig; Stengelblätter schmäler, sitzend. Köpfchen 1–2,5 cm breit, Zungenblüten unter 1 mm breit, blaßlila oder rosa, selten weiß, Scheibenblüten gelb, an der Spitze purpurn, keine Fadenblüten; Hülle halbkugelig, weißlich wollig zottig, oft rot überlaufen. Blütezeit: VI–IX. Standort: Rasen, Felsspalten; auf oberflächlich kalkfreien Böden; meist über 1600 m. Verbreitung: Alpen; Gebirge Mittel- und Südeuropas, Arktis.

5 Zweifarbiger Brandlattich

Homogyne discolor
(Korbblütler)

10–40 cm hohe Pflanze mit 1köpfigem Stengel. Blätter lederig derb, rundlich, gezähnt, oberseits dunkelgrün, unterseits weißfilzig. Hüllblätter braunrot, 1reihig; Blüten rötlich, alle röhrenförmig. Blütezeit: V–VIII. Standort: Rasen, Zwergstrauchbestände, Bergwälder; auf Kalk; meist über 1500 m. Verbreitung: Alpen, von Berchtesgaden und vom Gardasee ostwärts.
Ähnliche Art: **Alpen-Brandlattich,** *H. alpina* (Blätter unterseits nicht weißfilzig).

1 Voralpen-Flockenblume

Centaurea alpestris
(Korbblütler)

Bis 1 m hohe, zerstreut behaarte Pflanze. Grundblätter gestielt, meist zerteilt; obere Stengelblätter fiederschnittig, sitzend. Hülle 2–2,5 cm breit, Hüllschuppen eiförmig, Anhängsel 3eckig eiförmig, braunschwarz, die Hüllschuppen verdeckend, Hülle wirkt deshalb schwarz; die Randblüten meist viel länger als die inneren.
Blütezeit: VI–IX. Standort: Bergwiesen, Gebüsche, Hochstaudenfluren; meist auf Kalk; bis über 2000 m. Verbreitung: Von den Pyrenäen bis zu den Westkarpaten.

2 Perücken-Flockenblume

Centaurea pseudophrygia
(Korbblütler)

Bis 80 cm hohe, rauhhaarige Pflanze. Blätter unzerteilt, ganzrandig oder gezähnt, oberste Stengelblätter ganzrandig. Hülle breit eiförmig, bis 2 cm breit; die Anhängsel der mittleren Hüllschuppen eiförmig, schwarzbraun, allmählich in eine fadenförmige, meist zurückgekrümmte, federartig gefranste Spitze verlängert. Blüten alle röhrenförmig, die äußeren vergrößert.

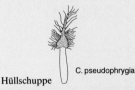

C. pseudophrygia

Hüllschuppe

Blütezeit: VII–IX. Standort: Wiesen, Gebüsche, Waldränder; bis etwa 2000 m. Verbreitung: Alpen östlich vom Unterengadin und von den Bergamasker Alpen; weite Gebiete Europas.

3 Einköpfige Flockenblume

Centaurea uniflora
(Korbblütler)

Bis 40 cm hohe, weißfilzig behaarte, von vereinzelten mehrzelligen Haaren rauhe Pflanze mit 1köpfigem Stengel. Blätter lanzettlich, meist schmäler als 1 cm, ganzrandig oder etwas gezähnt. Hülle blühender Köpfe 1,5–2,5 cm lang, äußere und mittlere Hüllschuppen mit kurz 3eckigen, in eine lange, zurückgebogene, federartige Spitze auslaufendem Anhängsel; Blüten alle röhrenförmig mit etwas zygomorphem Saum, die randlichen meist vergrößert.
Blütezeit: VII–IX. Standort: Trockene Wiesen, Gebüsche; über 1500 m. Verbreitung: Südwestalpen.

4 Alpen-Scharte ⓢ

Leuzea rhapontica
(= Rhaponticum scariosum)
(Korbblütler)

Bis 1,50 m hohe Pflanze mit wollig filzig behaartem Stengel. Blätter oberseits kahl, unterseits grau- oder weißfilzig; Grundblätter bis 60 cm lang, Stengelblätter kleiner. Köpfe bis 10 cm breit, kugelig; Hüllschuppen länglich, ihre Anhängsel etwa 1 cm breit, rundlich, zerschlitzt, braun; Blüten alle röhrenförmig mit 5spaltiger, 2lippiger Krone.
Blütezeit: VII–VIII. Standort: Felsschutt, Wiesen, Gebüsche. Verbreitung: Alpen, stellenweise selten oder fehlend.

1 Wollige Kratzdistel

Cirsium eriophorum
(Korbblütler)

Bis 2 m hohe Pflanze mit wollig behaartem Stengel. Blätter fiederspaltig, mit stark dornigen, am Rand nach unten eingerollten Abschnitten, oberseits dornig steifhaarig, grün, unterseits weißfilzig. Köpfe bis 7 cm breit, Hülle dicht weiß spinnwebig wollig, Hüllblätter mit langen stechenden Spitzen; Blüten alle röhrenförmig; Pappusstrahlen 2–3 cm lang, weiß, federartig, am Grund verwachsen und als Ganzes abfallend.
Blütezeit: VII–IX. Standort: Weiderasen, Gebüsche, Waldränder; vorwiegend auf Kalk; bis über 1500 m. Verbreitung: In den Alpen recht zerstreut, fehlt in manchen Gebieten; große Teile Europas.

2 Berg-Kratzdistel Ⓢ

Cirsium montanum
(Korbblütler)

Bis 1,80 m hohe Pflanze mit zerstreut behaartem Stengel. Blätter kahl oder zerstreut behaart, fiederspaltig mit eiförmigen, weichdornigen Abschnitten; Grundblätter bis 40 cm lang, Stengelblätter nur allmählich kleiner. Köpfe am Ende des Stengels gedrängt; Hülle breit eiförmig, 1,5–2 cm hoch, Hüllblätter eiförmig, die äußeren mit zurückgebogener, kaum stechender Spitze, alle mit schwachen Harzstriemen; Blüten alle röhrenförmig; Pappusstrahlen federartig, weiß, am Grund verwachsen, als Ganzes abfallend, 1,5–2 cm lang.
Blütezeit: VI–VIII. Standort: Bachufer, Hochstaudenfluren, Gebüsche und Waldränder; bis etwa 1800 m. Verbreitung: Südalpen; Pyrenäen bis Balkanhalbinsel.

3 Verschiedenblättrige Kratzdistel

Cirsium helenioides
(= C. heterophyllum)
(Korbblütler)

Bis 1,50 m hohe Pflanze mit weißfilzigem Stengel. Blätter länglich lanzettlich, oberseits fast kahl, unterseits weißfilzig, kaum stechend. Köpfe meist einzeln; Hülle 2–3 cm lang, Hüllblätter breit lanzettlich, die äußeren mit kurzer, kaum stechender Spitze, alle mit schmalem Harzstriemen; Blüten röhrenförmig; Pappusborsten etwa 3 cm lang, weiß, federartig, am Grund verwachsen und als Ganzes abfallend.
Blütezeit: VII–IX. Standort: Nasse Wiesen, Hochstaudenfluren, Grünerlengebüsche, Waldränder; auf kalkarmen Böden; bis über 2000 m. Verbreitung: Alpen; von Skandinavien bis zu den Pyrenäen und bis nach Rumänien.

1 Stengellose Kratzdistel

Cirsium acaule
(Korbblütler)

Meist völlig stengellose Pflanze. Blätter fiederteilig mit dornig gezähnten Abschnitten. Hülle 2–3 cm, Hüllblätter mit kurzer, kaum stechender Spitze und undeutlichen Harzstriemen; Blüten alle röhrenförmig; Pappusborsten 2–3 cm lang, weiß, federartig, am Grund verwachsen und als Ganzes abfallend. Blütezeit: V–IX. Standort: Weiderasen, Waldränder, Heidewiesen; auf Kalk; bis über 2000 m. Verbreitung: Kalkgebiete der Alpen; weite Teile Europas, Westasien.

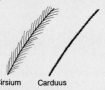

Cirsium   Carduus

Ausschnitte aus Pappusstrahlen

2 Alpen-Distel

Carduus defloratus
subsp. defloratus
(Korbblütler)

Bis 80 cm hohe Pflanze. Blätter ungeteilt bis fiederspaltig, die oberen am Stengel herablaufend. Köpfe einzeln, 1,5–3 cm breit, zur Blütezeit etwas nickend; Hüllblätter kaum stechend, an der Spitze etwas zurückgebogen; Blüten alle röhrenförmig mit 5spaltiger, deutlich 2lippiger Krone; Pappusborsten 1–1,5 cm lang, nicht federartig. Blütezeit: VI–IX. Standort: Felsschutt, Rasen, lichte Wälder; auf Kalk; bis um 3000 m. Verbreitung: Alpen; weite Gebiete Europas.

3 Rosarote Schwarzwurzel

Scorzonera purpurea subsp. rosea
(Korbblütler)

Bis 40 cm hohe Pflanze. Blätter grasartig. Hülle schmal glockenförmig, 2,5–3 cm lang, Hüllblätter dachziegelartig angeordnet; Blüten alle zungenförmig; Achänen 1–1,5 cm lang, zylindrisch, blaßbraun, auf den Rippen höckerig; Pappushaare federartig, schmutzig weiß. Blütezeit: VI–VIII. Standort: Trockene Wiesen; auf Kalk; von etwa 1200 bis um 2000 m. Verbreitung: Südalpen; Balkanhalbinsel, Apennin, Karpaten.

4 Hasenlattich

Prenanthes purpurea
(Korbblütler)

Bis 1,50 m hohe Pflanze mit Milchsaft. Blätter länglich, die unteren gezähnt bis fiederteilig, mit geflügeltem Stiel, die oberen mit herzförmigem Grund stengelumfassend. Köpfe nickend, 2- bis 5blütig; Hülle 1–1,5 cm lang; Hüllblätter in 2 Reihen. Blütezeit: VII–IX. Standort: Wälder, Gebüsche, Hochstaudenfluren. Verbreitung: Fast ganz Europa.

5 Orangerotes Habichtskraut

Hieracium aurantiacum
(Korbblütler)

Bis 50 cm hohe, ausläufertreibende Pflanze. Grundblätter lanzettlich, behaart. Stengel meist mit 1–3 Blättern, hohl, mit Sternhaaren, einfachen, dunklen Haaren und im oberen Teil meist mit Drüsenhaaren, 2–15köpfig. Hülle 7–12 mm lang, Hüllblätter mehrreihig, dicht dunkelhaarig; Pappus schmutzigweiß, brüchig. Blütezeit: VI–VIII. Standort: Wiesen, Zwergstrauchbestände; auf kalkarmen Böden. Verbreitung: Alpen; Gebirge Europas.

1 Trichterlilie Ⓢ

Paradisea liliastrum
(Liliengewächse)

Bis 50 cm hohe Pflanze mit grundständigen, grasartigen, bis 1 cm breiten Blättern; Blüten trichterförmig, bis 6 cm lang. Tragblätter länger als die nicht gegliederten Blütenstiele; Perigonblätter schmal elliptisch, zugespitzt, 3- bis 5nervig. Blütezeit: V–VII. Standort: Mähwiesen, Bergweiden, Hochstaudenfluren und Grünerlengebüsche; bis 2500 m. Verbreitung: Südalpen; Pyrenäen, Apennin, Jura, Nordwestjugoslawien. Ähnliche Arten: **Astlose Graslilie,** *Anthericum liliago* (Blüten bis 3 cm lang, Tragblätter kürzer als die gegliederten Blütenstiele), in tieferen Lagen. **Ästige Graslilie,** *Anthericum ramosum* (Blüten bis 1,5 cm lang, Tragblätter kürzer als die gegliederten Blütenstiele, Blütenstand verzweigt), auf trockenen, kalkhaltigen Böden.

2 Quirlblättriges Salomonssiegel ✚

Polygonatum verticillatum
(Liliengewächse)

Bis 1 m hohe Pflanze mit aufrechtem, kahlem Stengel und schmalen, wenigstens im oberen Stengelteil quirlständigen Blättern. Blüten 7–10 mm lang, an dünnen Stielen hängend, röhrenförmig, weiß, mit 6lappigem, grünlichem Saum. Frucht eine anfangs rote, später blauschwarze Beere. Blütezeit: V–VII. Standort: Wälder, Gebüsche, Hochstaudenfluren, Bergwiesen. Verbreitung: Alpen; weite Teile Europas, Asien. Ähnliche Arten: **Gemeines Salomonssiegel,** *P. odoratum* (Blätter wechselständig, breit elliptisch, Stengel kantig, Blüten duftend, bis 2 cm lang, höchstens paarweise in den Blattachseln). **Vielblütiges Salomonssiegel,** *P. multiflorum* (Blätter wechselständig, elliptisch, Stengel rund, Blüten duftlos, oft zu dritt in den Blattachseln.

P. odoratum

Ausschnitt aus einem blühenden Stengel

3 Weißer Affodill Ⓢ

Asphodelus albus
(Liliengewächse)

Bis 1,50 m hohe Pflanze mit zahlreichen, ausschließlich grundständigen, bis über 50 cm langen, bis 2 cm breiten, fleischigen Blättern. Blüten trichterförmig, gestielt, in den Achseln häutiger, brauner Tragblätter in einer bis 50 cm langen, dichten Traube; Perigonblätter bis 2 cm lang, schmal eiförmig, weiß mit grünlichem bis bräunlichem Mittelnerv. Frucht eine lederige Kapsel. Blütezeit: V–VIII. Standort: Bergwiesen, Gebüschsäume; auf Kalk; von etwa 1000 bis über 2000 m. Verbreitung: Südalpen; von Spanien durch die Pyrenäen, Süd- und Westfrankreich bis zur westlichen Balkanhalbinsel.

1 Frühlings-Krokus

Crocus vernus subsp. albiflorus
(Schwertliliengewächse)

Bis 15 cm hohe Pflanze. Blätter grundständig, grasartig, mit umgerolltem Rand und weißem Längsstreifen. Perigonblätter weiß oder violett, am Grund zu einer langen Röhre verwachsen; ein 3spaltiger, leuchtend gelbroter Griffel.

Blütezeit: III–V. Standort: Frische, humusreiche Rasengesellschaften. Verbreitung: Alpen; Pyrenäen, Zentralmassiv, Jura, Karpaten, Apennin, Balkanhalbinsel.

2 Weiße Waldhyazinthe Ⓢ

Platanthera bifolia
(Orchideengewächse)

Bis 50 cm hohe, kahle Pflanze mit 2 (selten bis 4) großen, eiförmigen, grundständigen Blättern, weiter oben nur wenige kleine Blätter. Blüten weiß oder cremefarben; 3 äußere Blütenblätter abstehend, länglich, eines mit 2 inneren helmartig zusammengeneigt; Lippe bandförmig, abwärts gerichtet; Fächer der Staubbeutel fast parallel; Sporn allmählich dünner, spitz.

Blütezeit: V–VII. Standort: Wiesen, lichte Wälder, Verbreitung: Europa; Asien.

3 Weiße Narzisse Ⓢ

Narcissus poeticus subsp. radiiflorus
(Amaryllisgewächse)

Bis 50 cm hohe Pflanze mit grundständigen, grasartigen Blättern. Blüten meist einzeln, duftend, mit 6 ausgebreiteten, am Grund deutlich verschmälerten, sich dort nicht überdeckenden, weißen Perigonblättern sowie einem kurzen gelben, rot gerandeten, bis 1 cm breiten Krönchen.

Blütezeit: IV–VI. Standort: Feuchte Wiesen, Gebüsche, lichte Wälder. Verbreitung: Alpen; westliche Balkanhalbinsel.

Ähnliche Art: **Dichternarzisse,** *N. poeticus* subsp. *poeticus* (Perigonblätter breit, sich an der Basis überdeckend, Krönchen über 1 cm breit), vom Mittelmeergebiet bis in die West- und Südwestalpen.

4 Alpen-Leinblatt

Thesium alpinum
(Sandelholzgewächse)

Bis 30 cm hohe, gelbgrüne Pflanze. Blätter linealisch, 1nervig. Blütenstand einseitswendig; Tragblatt und Vorblätter glattrandig; Perigon meist 4teilig, zur Fruchtzeit nur an der Spitze eingerollt, 2- bis 3mal so lang wie die runde Frucht.

T. alpinum

Einzelblüte (mit Trag- und Vorblättern) zur Zeit der Fruchtreife

Blütezeit: V–X. Standort: Rasen, lichte Wälder. Verbreitung: Alpen; Süd- und Mitteleuropa. Hinweis: Einige ähnliche Arten.

5 Knöllchen-Knöterich

Polygonum viviparum
(Knöterichgewächse)

Bis 30 cm hohe Pflanze mit wenig beblättertem, unverzweigtem Stengel. Grundblätter langgestielt, an beiden Enden verschmälert, mit nach unten umgebogenem Rand. Blüten weiß, gelegentlich rosa; Perigonblätter 2–3 mm lang; die unteren Blüten meistens durch rotbraune Brutknospen (Bulbillen) ersetzt, die von der Pflanze abfallen und zu neuen Pflanzen heranwachsen.

Blütezeit: V–IX. Standort: Fast alle Pflanzengesellschaften; bis über 3000 m. Verbreitung: Alpen; Mittel- und Nordeuropa, Arktis.

1|2

3

4|5

1 Alpen-Knöterich

Polygonum alpinum
(Knöterichgewächse)

Bis 1 m hohe Pflanze mit meist kahlem, oft verzweigtem Stengel. Blätter lanzettlich, bis 15 cm lang, oberseits dunkelgrün, unterseits blaßgrün. Blüten weißlich, gelegentlich rosa, in einer verzweigten Rispe; Perigonblätter 3–5 mm lang.

<u>Blütezeit:</u> VII–IX. <u>Standort:</u> Blockschutthalden, Hochstaudenfluren, Grünerlengebüsche, Mähwiesen; auf sauren Böden; bis über 2000 m. <u>Verbreitung:</u> West- und Südalpen, ostwärts bis Graubünden und bis zu den Bergamasker Alpen, zwei Fundorte in der Steiermark; Gebirge Südeuropas, Kaukasus bis Ostasien.

2 Kriechendes Gipskraut

Gypsophila repens
(Nelkengewächse)

Bis 30 cm hohe, kahle, blaugrüne Pflanze. Blätter lineal lanzettlich, bis 3 cm lang. Blüten bis 5 mm breit; Kronblätter weiß bis rosa, stumpf oder leicht ausgerandet; Kelch bis 4 mm lang, glockig, 5nervig, mit trockenhäutigen Streifen an den Verwachsungsstellen der Kelchblätter, am Grund ohne schuppenförmige Blätter; 2 Griffel; Kapsel öffnet sich mit 4 Zähnen, Samen nierenförmig, höckerig.

<u>Blütezeit:</u> V–IX. <u>Standort:</u> Felsspalten, Felsschutt, lückige Rasen; stets auf Kalk; von etwa 1000 bis über 3000 m, gelegentlich auch tiefer. <u>Verbreitung:</u> Alpen; Gebirge Europas.

<u>Ähnliche Art:</u> **Steinbrech-Felsennelke,** *Petrorhagia saxifraga* (Kelch am Grund von trockenhäutigen, schuppenförmigen Blättern umgeben, Samen schildförmig, am Rand verdickt), in den Südalpen und den warmen Tälern der Zentral- und Nordalpen.

3 Herzblättriges Leimkraut

Silene cordifolia
(Nelkengewächse)

Bis 20 cm hohe, drüsig behaarte Pflanze. Stengelblätter eiförmig bis herz-eiförmig, zugespitzt. Platte der Kronblätter 2spaltig, hellrosa bis weißlich, am Schlund mit kleinen, rundlichen Schuppen; Kelch 1,2–1,5 cm lang, dicht drüsenhaarig, etwas aufgeblasen; Kapsel 8–10 mm lang, doppelt so lang wie der kahle Karpophor.

<u>Blütezeit:</u> VI–VIII. <u>Standort:</u> Felsspalten, seltener Felsschutt; meist auf Silikat. <u>Verbreitung:</u> Endemit der Seealpen; von etwa 1000 bis 2000 m.

<u>Ähnliche Art:</u> **Walliser Leimkraut,** *S. vallesia* (Blätter lanzettlich bis linealisch, Kelch 1,5 cm und länger, Kronblätter oberseits rosa, unterseits rot, Kapsel etwa so lang wie der Karpophor), vom Dauphiné und Savoyen bis zum Simplon im Norden und bis Venezien im Süden; Balkanhalbinsel, Apennin.

1 Niederliegender Taubenkropf

Silene vulgaris subsp. prostrata
(Nelkengewächse)

Bis 40 cm hohe Pflanze mit armblütigen Stengeln. Blätter eiförmig, dicht papillös. Blüten bis 2 cm breit; Platte der Kronblätter tief 2teilig; Kelch fast kugelig aufgeblasen, 20nervig, netzadrig, oft rot überlaufen.
Blütezeit: V–IX. Standort: Felsschutt, lückige Rasen; auf Kalk oder Kalkschiefer; bis über 2000 m. Verbreitung: West- und Südwestalpen ostwärts bis zum Wallis.

2 Felsen-Leimkraut

Silene rupestris
(Nelkengewächse)

Bis 30 cm hohe, kahle, blaugrüne Pflanze. Stengel nicht klebrig. Blätter lanzettlich. Kelch 4–10 mm lang, 10nervig; Kronblätter vorne ausgerandet, am Schlund ohne deutliche Schuppe; 3 Griffel; Kapsel im Kelch eingeschlossen, Samen rundlich nierenförmig, am Rand ohne dünne Papillen.
Blütezeit: V–VIII. Standort: Felsspalten, Felsschutt; auf kalkarmen Böden; von 1500 bis 3000 m. Verbreitung: Zentral- und Südalpen, in den Kalkalpen selten; weite Teile Europas.

3 Quendelblättrige Mauerraute

Paronychia kapela
subsp. serpyllifolia
(Nelkengewächse)

Bis 10 cm hohe Pflanze. Blätter elliptisch, bis 3,5 mm lang, stark bewimpert, behaart, mit weiß glänzenden Nebenblättern. Blüten in endständigen, 7–15 mm breiten Knäueln; Tragblätter silbrigweiß, viel länger als die Blüten; Kronblätter fehlen;

Kelchblätter grün, eiförmig, stumpf.
Blütezeit: VII–VIII. Standort: Felsspalten, Felsschutt. Verbreitung: Westalpen; Südeuropa, Nordafrika.

4 Moos-Nabelmiere

Moehringia muscosa
(Nelkengewächse)

Bis 20 cm hohe Pflanze mit sehr zarten Stengeln. Blätter linealisch, 0,5–1,5 mm breit. Blüten stets mit 4 Kron- und Kelchblättern; 3 Griffel; Samen etwa 1 mm lang, mit fast ganzrandigem Anhängsel.

M. muscosa

Samenkorn

Blütezeit: V–IX. Standort: Felsspalten, Felsschutt; auf Kalk. Verbreitung: Kalkgebiete der Alpen; Jura, Karpaten, von Spanien bis zur Balkanhalbinsel.

5 Wimper-Nabelmiere

Moehringia ciliata
(Nelkengewächse)

Lockerrasig wachsende, bis 5 cm hohe, kahle Pflanze. Blätter linealisch, am Grund mit randlichen Wimpern. Blüten 5zählig; Kronblätter schmal elliptisch, etwas länger als der Kelch; 3 Griffel; Kapsel mit 6 Zähnen; Samen glatt, mit sehr kleinem, gefranstem Anhängsel.

M. ciliata

Samenkorn

Blütezeit: VI–IX. Standort: Felsschutt; auf Kalk oder Dolomit; von 1500 bis 3000 m. Verbreitung: Kalkgebiete der Alpen; von Nordspanien bis zur Balkanhalbinsel.

1 Felsen-Miere

Minuartia rupestris
(Nelkengewächse)
Bis 5 cm hohe, rasenförmig
wachsende Pflanze. Stengel unten mit abgestorbenen Blättern
bedeckt. Blätter 2–4 mm lang,
starr, 4- bis 5nervig, lanzettlich,
spitz, am Rand kurz gewimpert.
Blüten einzeln; Kronblätter länglich eiförmig; Kelchblätter den
Laubblättern ähnlich, schmal
hautrandig, wie die Blütenstiele
oft drüsig behaart; 3 Griffel;
Kapsel 3zähnig.
Blütezeit: VII–IX. Standort:
Felsspalten, Felsschutt; auf
Kalk; bis über 3000 m. Verbreitung: Von den Salzburger und
Kärntner Alpen bis zu den Seealpen.

M. rupestris   M. lanceolata

Kelchblätter

Ähnliche Art: **Lanzettblättrige
Miere**, *M. lanceolata* (Blätter bis
1,5 cm lang, Blüten meist paarweise oder zu dreien), in den Cottischen Alpen.

2 Krummblättrige Miere

Minuartia recurva
(Nelkengewächse)

Rasenförmig wachsende Pflanze
mit bis 15 cm hohen, nur oben mit
kurzen Drüsenhaaren besetzten,
blühenden Stengeln. Zweige mit
schwärzlicher Rinde. Blätter linealisch, spitz, sichelförmig gebogen, trocken mit 3 unterseits
deutlich sichtbaren Nerven. Blüten weit geöffnet; Kronblätter
verkehrt eiförmig, etwa so lang
wie die Kelchblätter; Kelchblätter breit lanzettlich, spitz, undeutlich 5- bis 7nervig, fast kahl oder
drüsig behaart; 3 Griffel; Kapsel
3zähnig.

Blütezeit: VII–IX. Standort:
Felsschutt, Pionierrasen; in den
Westalpen auf kalkarmen Böden,
in den Ostalpen vorwiegend auf
Kalk; von 1800 bis über 3000 m.

M. recurva

Kelchblatt

Verbreitung: Alpen mit Ausnahme der Nördlichen Kalkalpen;
Nordspanien bis Karpaten, Balkanhalbinsel, Kleinasien.

3 Leinblütige Miere

Minuartia capillacea
(Nelkengewächse)

Bis 30 cm hohe Pflanze mit oben
dicht drüsigen, blühenden Stengeln. Nichtblühende Triebe kurz,
dicht beblättert. Blätter linealisch, stumpf, am Rand gewimpert, bis 2 cm lang, meist etwas
gebogen, am Grund mit 1–3 undeutlichen Nerven. Kronblätter
bis doppelt so lang wie der
Kelch; Kelchblätter 5–7 mm
lang, drüsig, eiförmig, stumpf,
mit 3–5 im oberen Drittel meist
nicht sichtbaren Nerven; 3 Griffel; Kapsel 3zähnig.
Blütezeit: VI–VIII. Standort:
Felsschutt, Felsspalten, lückige
Rasen; stets auf Kalk; bis etwa
2000 m. Verbreitung: Südrand
der Alpen; Jura, Gebirge Südeuropas.

Minuartia laricifolia

Ähnliche Art: **Lärchenblättrige
Miere**, *M. laricifolia* (Kelchblätter mit bis oben deutlich ausgebil-
deten Nerven).

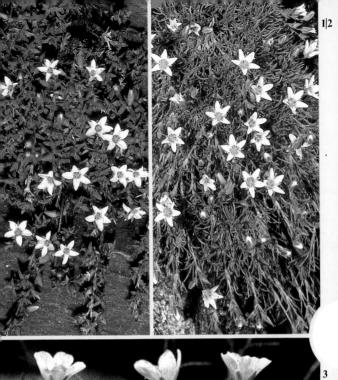

1 Frühlings-Miere

Minuartia verna
(Nelkengewächse)

Bis 15 cm hohe Pflanze mit meist kahlen Stengeln. Blätter linealisch, undeutlich 3nervig; Stengelblätter kürzer als die Stengelglieder. Kelchblätter lanzettlich, spitz, 2,5–4,5 mm lang, deutlich 3nervig, kahl oder zerstreut drüsig behaart; Kronblätter elliptisch, etwa so lang wie die Kelchblätter; 3 Griffel; Kapsel 3zähnig.
Blütezeit: V–VIII. Standort: Felsschutt, lückige Rasen; bis über 3000 m. Verbreitung: Alpen; Arktis, Gebirge Mittel- und Südeuropas, Nordafrika.

2 Polster-Miere

*Minuartia cherlerioides
subsp. cherlerioides*
(Nelkengewächse)

Minuartia cherlerioides [subsp. cherlerioides (Kalkalpen) und subsp. rionii (Zentralalpen)]

In bis 5 cm hohen, dichten Polstern wachsende Pflanze. Blätter länglich eiförmig, stumpf, kurz stachelspitzig, 3nervig, völlig kahl; Blüten einzeln. 4 Kronblätter, keilförmig, etwa so lang wie der Kelch; 4 Kelchblätter, den Laubblättern ähnlich; 3 Griffel; Kapsel 3zähnig.
Blütezeit: VII–IX. Standort: Felsspalten, Felsschutt, Pionierrasen; von 2000 bis 3000 m; auf Kalk. Verbreitung: Nordöstliche und Südliche Kalkalpen.
Ähnliche Art: **Rionis Miere, M. cherlerioides subsp. rionii** (Blätter am Rand gewimpert), auf Silikat, in den mittleren Zentralalpen.

3 Geschnäbelte Miere

Minuartia mutabilis
(Nelkengewächse)

Bis 15 cm hohe Pflanze. Blätter linealisch, 10- bis 30mal so lang wie breit, 3nervig, am Grund des Stengels wie an den nichtblühenden Trieben dicht gedrängt. Kronblätter wenig kürzer als der Kelch; Kelchblätter lanzettlich, 3–4 mm lang, breit weißrandig mit schmalem, grünem Mittelstreifen; 3 Griffel; Kapsel 3zähnig.
Blütezeit: VI–VIII. Standort: Felsspalten, Felsschutt, lückige Rasen; auf Kalk und Silikat; von etwa 500 bis über 2000 m. Verbreitung: Von den Ostpyrenäen durch die südlichen Alpengebiete bis Südtirol; Korsika, Nordafrika.

4 Dreigriffeliges Hornkraut

Cerastium cerastoides
(Nelkengewächse)

Pflanze mit niederliegend-aufsteigenden, kahlen, bis 15 cm hohen Stengeln, die meist nur ganz oben einen behaarten Längsstreifen haben. Blätter schmal lanzettlich bis eiförmig. Blüten 1–2 cm breit; Kronblätter bis doppelt so lang wie der Kelch, eingeschnitten; Kelchblätter breit lanzettlich, stumpf, 5–6 mm lang, kahl; meist 3 Griffel, selten an einzelnen Blüten 4 oder 5; Kapsel 6zähnig.
Blütezeit: VII–IX. Standort: Lange schneebedeckte, stets feuchte Böden; von etwa 1700 bis über 3000 m. Verbreitung: Zentralalpen, in den Kalkalpen selten, Arktis und Subarktis, Hochgebirge Europas und Asiens.

1 Felsen-Hornkraut

Cerastium julicum
(Nelkengewächse)

Cerastium julicum

Polsterförmig wachsende Pflanze mit bis 15 cm hohen, oben abstehend drüsenhaarigen, unten meist kahlen, etwa gleich langen blühenden und nichtblühenden Trieben. Blätter kahl, steif, lineal lanzettlich, nur am Grund etwas gewimpert, die unteren Stengelblätter in den Achseln mit nichtblühenden Trieben; Tragblätter lanzettlich, gelegentlich hautrandig. Blüten bis über 2 cm breit; Kronblätter doppelt so lang wie der Kelch, tief eingeschnitten; Kelchblätter breit lanzettlich, spitz, breit hautrandig, 5–8 mm lang, zerstreut behaart; 5 Griffel; Kapsel bis doppelt so lang wie der Kelch, gerade, 10zähnig, Samen 1,2–1,8 mm im Durchmesser, warzig, kantig nierenförmig. Blütezeit: VII–IX. Standort: Felsspalten, Felsschutt, gelegentlich Pionierrasen; stets auf Kalk; von etwa 1700 bis 2400 m. Verbreitung: Endemische Art der südöstlichen Kalkalpen.

Ähnliche Arten: In den Alpen einige von der Tieflandform abweichende Sippen des **Acker-Hornkrautes,** *C. arvense* (nichtblühende Triebe sehr kurz, Kapsel deutlich gebogen, Samen 0,8–1 mm, mit spitzen Höckern, Tragblätter immer hautrandig).

2 Alpen-Hornkraut

Cerastium alpinum
(Nelkengewächse)

Oft von langen Haaren graue, seltener fast kahle, oft drüsige Pflanze mit zahlreichen nichtblühenden, gedrängten Trieben und 5–20 cm hohen blühenden Stengeln. Blätter elliptisch, beiderseits behaart, meist ohne Blattbüschel in den Achseln der Stengelblätter. Blüten 1,5–2 cm breit, Blütenstiele abstehend behaart, meist zerstreut drüsig; Kronblätter etwa doppelt so lang wie der Kelch, eingeschnitten; Kelchblätter breit lanzettlich, spitz, bis 1 cm lang, zottig (oft drüsig) behaart, breit hautrandig; 5 Griffel; Kapsel in der vorderen Hälfte verschmälert und etwas gekrümmt, bis doppelt so lang wie der Kelch, 10zähnig, Samen 1–1,4 mm breit, eckig nierenförmig, auf der ganzen Fläche spitzwarzig.

Blütezeit: VII–IX. Standort: Lückige Rasen, Felsschutt, Felsspalten; von etwa 2000 bis 3000 m, selten tiefer. Verbreitung: Alpen; Arktis von Europa bis Amerika, südlich in fast allen europäischen Hochgebirgen.

Hinweis: In den Alpen zwei nicht immer deutlich unterscheidbare Unterarten: **Echtes Alpen-Hornkraut,** *C. alpinum subsp. alpinum* (Pflanzen graugrün, Blätter nicht wollig), hauptsächlich in den westlichen und mittleren Zentralalpen; **Wolliges Alpen-Hornkraut,** *C. alpinum subsp. lanatum* (Pflanzen grau- bis weißwollig, junge Blätter mit einem Büschel besonders langer, wolliger weißer Haare), hauptsächlich in den östlichen Zentralalpen.

1 Einblütiges Hornkraut

Cerastium uniflorum
(Nelkengewächse)

Zottig (gelegentlich drüsig) behaarte Pflanze mit zahlreichen nichtblühenden und weniger zahlreichen bis 10 cm hohen blühenden Trieben. Blätter spatelig, stumpf; Tragblätter ohne Hautrand. Blüten 2–3 cm breit; Kronblätter eingeschnitten; Kelchblätter eiförmig, fast spitz, hautrandig, drüsenhaarig; 5 Griffel; Kapsel 10zähnig, Samen 1,5–2,2 mm breit, diskusförmig, mit stumpfen Höckern auf der geschrumpften Samenschale.
<u>Blütezeit:</u> VI–IX. <u>Standort:</u> Felsspalten, Felsschutt, Pionierrasen; meist auf Silikat, seltener auf Kalk. <u>Verbreitung:</u> Hauptsächlich in den Zentralalpen (Savoyen bis Steiermark), sonst selten; Westkarpaten, nördliche Balkanhalbinsel.

C. uniflorum   C. latifolium   C. pedunculatum
Blätter steriler Triebe

<u>Ähnliche Arten:</u> **Breitblättriges Hornkraut,** *C. latifolium* (wenige nichtblühende Triebe, Blätter lanzettlich, spitz, Kelchblätter stumpf, Samen 2–3 mm breit), auf Kalk und Dolomit in den Alpen westlich des Inn. **Langstieliges Hornkraut,** *C. pedunculatum* (Blätter schmal lanzettlich, Blüten 1–2 cm breit, Fruchtstiele bis 5 cm lang, Samen etwa 1 mm breit).

2 Südalpen-Hornkraut

Cerastium carinthiacum
subsp. austroalpinum
(Nelkengewächse)

Bis 20 cm hohe, kurzhaarige Pflanze mit wenigen nichtblühenden Trieben. Stengel oben drüsig behaart. Blätter breit lanzettlich, bis 3 cm lang, bis 2 cm breit; Stengelblätter in den Achseln ohne nichtblühende Triebe; Tragblätter höchstens mit schmalem Hautrand. Blüten etwa 2 cm breit; Kronblätter eingeschnitten; Kelchblätter eiförmig, stumpf, breit hautrandig; 5 Griffel; Kapsel 10zähnig, Samen 1,3–1,7 mm breit, mit kleinen Warzen.
<u>Blütezeit:</u> VI–IX. <u>Standort:</u> Felsspalten, Felsschutt; auf Kalk oder Dolomit; bis über 2000 m. <u>Verbreitung:</u> Nordöstliche Kalkalpen (Eisenerzer Alpen bis Hochschwab) und Südalpen (Bergamasker bis Julische Alpen).
<u>Ähnliche Art:</u> **Kärntner Hornkraut,** *C. carinthiacum subsp. carinthiacum* (Pflanze oft fast kahl, Tragblätter breit hautrandig), in den Nordostalpen (Dachstein bis Rax), den Kalkgebieten der östlichen Zentralalpen, den Südalpen (Brenta bis Karnische Alpen).

3 Huters Sandkraut

Arenaria huteri
(Nelkengewächse)

Drüsig behaarte Pflanze mit bis 20 cm langen, hängenden Stengeln. Blätter länglich, die unteren dicht gedrängt, die oberen kürzer als die Stengelglieder. Blüten bis 1,5 cm breit; Blütenstiele fadenartig dünn; Kelchblätter schmal lanzettlich, mit undeutlichen Nerven, schmal hautrandig; 3 Griffel; Kapsel 6zähnig, Samen warzig.
<u>Blütezeit:</u> VI–VIII. <u>Standort:</u> Steile, schattige Dolomitfelsen. <u>Verbreitung:</u> Endemische Art der Venezianischen Alpen im Gebiet von Cimolais.
<u>Hinweis:</u> In den Alpen weitere Arten. Alle Sandkraut-Arten unterscheiden sich von ähnlichen weißblütigen Nelkengewächsen durch 3 Griffel, mit 6 Zähnen aufspringende Kapseln und warzige Samen ohne Anhängsel.

1 Pyrenäen-Hahnenfuß

Ranunculus pyrenaeus
(Hahnenfußgewächse)

Bis 20 cm hohe Pflanze. Grundblätter kahl, lanzettlich, ganzrandig, Stengelblätter ähnlich, kleiner. Blütenstiel gefurcht, behaart; Blüten bis 3 cm breit; Kelchblätter kahl, gelblichweiß; Kronblätter verkehrt eiförmig, einzelne gelegentlich verkümmert.
<u>Blütezeit</u>: VI–VIII. <u>Standort</u>: Wiesen auf sauren Böden; bis über 3000 m. <u>Verbreitung</u>: Von den Seealpen bis Kärnten, vor allem in den Zentralalpen; Gebirge Spaniens, Pyrenäen, Korsika.

2 Alpen-Hahnenfuß

Ranunculus alpestris
(Hahnenfußgewächse)

Bis 10 cm hohe Pflanze mit kahlem Stengel. Blätter glänzend, 3- bis 5lappig mit grob gekerbten Blattzipfeln. Kelchblätter grün, kahl; Kronblätter nach der Blüte wie die Kelchblätter abfallend.

R. alpestris

Grundblatt

<u>Blütezeit</u>: VI–IX. <u>Standort</u>: Kalkreiche Böden; in nahezu allen Pflanzengesellschaften. <u>Verbreitung</u>: Kalkgebiete der Alpen; Gebirge Mittel- und Südeuropas. <u>Hinweis</u>: Einige ähnliche Arten mit abweichenden Blättern.

3 Platanenblättriger Hahnenfuß

Ranunculus platanifolius
(Hahnenfußgewächse)

Bis 1,50 m hohe Pflanze. Grundblätter tief 5- bis 7teilig, mit stets zusammenhängenden, gezähnten Abschnitten. Blütenstiele kahl.
<u>Blütezeit</u>: V–VIII. <u>Standort</u>: Quellfluren, Hochstaudenfluren, Grünerlengebüsche, lichte Berg-

wälder. <u>Verbreitung</u>: Alpen; höhere Lagen Europas.
Ähnliche Art: Eisenhutblättriger Hahnenfuß, *R. aconitifolius* (mittlere Grundblattabschnitte nicht verwachsen, Blütenstiele behaart).

4 Herzblatt-Hahnenfuß

Ranunculus parnassifolius
(Hahnenfußgewächse)

Bis 20 cm hohe Pflanze. Grundblätter breit eiförmig, blaugrün, am Rand und auf den Nerven der Blattoberseite wollig behaart. Blüten etwa 2 cm breit; Kronblätter gelegentlich wenig entwickelt; Kelchblätter mit rotbraunen Haaren.
<u>Blütezeit</u>: VI–VIII. <u>Standort</u>: Feuchter, kalkhaltiger Felsschutt; von etwa 1700 bis 3000 m. <u>Verbreitung</u>: Kalkgebiete der Zentralalpen; in den Nord- und Südalpen sehr selten; Nordspanische Gebirge, Pyrenäen.

5 Alpen-Küchenschelle Ⓢ

Pulsatilla alpina subsp. alpina
(Hahnenfußgewächse)

Bis 40 cm hohe Pflanze. Stengel 1blütig. Grundblätter 3teilig mit 3teiligen Abschnitten; meist 3 den Grundblättern ähnliche Hochblätter unter der Blüte. Blüten 4–6 cm breit; Perigonblätter außen bläulich überlaufen; hellhaarig; Nüßchen mit langem, federig behaartem Griffel.
<u>Blütezeit</u>: V–VIII. <u>Standort</u>: Rasen, Hochstaudenfluren, Latschengebüsche; auf Kalk; bis 2500 m. <u>Verbreitung</u>: Kalkgebiete der Alpen; von Spanien bis zur Balkanhalbinsel.
Ähnliche Art: Frühlings-Küchenschelle, *P. vernalis* (Grundblätter einfach gefiedert mit wenig eingeschnittenen Fiedern, Blüten außen zartviolett, dicht goldbraun behaart), auf sauren Böden.

1 Schneerose ⓢ

Helleborus niger subsp. niger
(Hahnenfußgewächse)

Bis 30 cm hohe, kahle Pflanze. Stengel aufrecht, mit 1–3 schuppenartigen Hochblättern, 1blütig. Blätter dunkelgrün, überwinternd, derb, 7- bis 9teilig, Abschnitte gegen die Spitze zu scharf gesägt, im vorderen Drittel am breitesten. Blüten 6–8 cm breit; Perigonblätter weiß oder rosa, im Abblühen gelegentlich grünlich oder rötlich.
Blütezeit: IX–VII. Standort: Laubholzreiche Bergwälder und Gebüsche auf Kalk. Verbreitung: Nördliche Kalkalpen östlich des Inn.
Ähnliche Arten: **Großblütige Schneerose,** *H. niger subsp. macranthus* (Abschnitte der Blätter um die Mitte am breitesten, Blüten 8–10 cm breit), von Südtirol bis Tessin. – Alle übrigen Arten unterscheiden sich durch Stengel mit zerteilten Blättern und von Anfang an grüne Blüten.

2 Narzissenblütiges Windröschen ⓢ

Anemone narcissiflora
(Hahnenfußgewächse)

Bis 50 cm hohe, abstehend behaarte Pflanze. Blätter bis zum Grund 3- bis 5teilig, mit tief zerteilten Abschnitten. Blüten bis 3 cm breit, in endständigen Dolden; darunter ein Quirl von 3teiligen, tief eingeschnittenen Blättern; Perigonblätter außen oft rötlich, kahl; Nüßchen kurz geschnäbelt, kahl.

A. narcissiflora   A. baldensis
Grundblätter

Blütezeit: V–VII. Standort: Rasen, Hochstaudenfluren, Lat-

schengebüsche; meist auf Kalk; von etwa 1500 bis über 2000 m.
Verbreitung: Alpen; Gebirge Europas und Asiens, Nordamerika.
Ähnliche Art: **Monte-Baldo-Windröschen,** *A. baldensis* (Blattabschnitte gestielt, Blüten einzeln, Nüßchen von weißen Wollhaaren eingehüllt), in den südlichen Alpengebieten.

3 Korianderblättrige Schmuckblume

Callianthemum coriandrifolium
(Hahnenfußgewächse)

Callianthemum anemonoides (Nordostalpen östlich der Enns),
C. kerneranum (um den Gardasee) und C. coriandrifolium (Rest)

Bis 20 cm hohe Pflanze. Grundblätter bereits zur Blütezeit entwickelt, blaugrün, kahl, unpaarig gefiedert mit mehrfach fiederteiligen Abschnitten. Blüten bis 3 cm breit, mit 5 grünlichen bis weißen Kelchblättern und 6–13 breit eiförmigen, weißen oder schwach rosa Kronblättern.
Blütezeit: IV–VII. Standort: Felsschutt, lückige Rasen; auf etwas saurem Boden. Verbreitung: Südwestalpen, vom Ortler bis zur Stangalpe.
Ähnliche Arten: Zwei weitere Arten in den Alpen, die sich durch schmal längliche, oft rosa Kronblätter und erst nach der Blüte entwickelte Grundblätter unterscheiden: **Kerners Schmuckblume,** *C. kerneranum,* in den Südalpen um den Gardasee, **Anemonen-Schmuckblume,** *C. anemonoides,* in den nordöstlichen Kalkalpen von Steiermark, Ober- und Niederösterreich.

1 Sendtners Alpenmohn ⓢ

Papaver sendtneri
(Mohngewächse)

Pflanze mit 1blütigen, steifhaarigen, bis 20 cm hohen Stengeln. Blätter grundständig, zerstreut behaart, einfach fiederteilig mit breiten Abschnitten. 4 Kronblätter, etwa 2 cm lang; 2 Kelchblätter, dicht braunschwarz behaart, beim Aufblühen abfallend; Fruchtknoten oberständig, grauhaarig, mit meist 5 Narbenstrahlen; Kapsel elliptisch, mit gestutztem, flachem Ende. Blütezeit: VII–IX. Standort: Felsschutt, Felsspalten; auf Kalk oder Dolomit; bis über 2000 m. Verbreitung: Von der Zentralschweiz bis zum Dachstein.

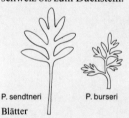

P. sendtneri   P. burseri
Blätter

Ähnliche Arten: **Westlicher Alpenmohn,** *P. occidentale* (Blätter auf der Fläche kahl, meist 4 Narbenstrahlen), vom Dauphiné bis zur Zentralschweiz. **Mayers Alpenmohn,** *P. ernesti-mayeri* (Kapselende mit spitzer Narbenkrone), in den Julischen Alpen und Abruzzen. **Bursers Alpenmohn,** *P. burseri* (Blätter 2- bis 3fach fiederteilig, meist 4 Narbenstrahlen), vom Toten Gebirge bis zum Wiener Schneeberg.

2 Glanz-Gänsekresse

Arabis soyeri subsp. jacquinii
(Kreuzblütler)

Bis 40 cm hohe, fast ganz kahle Pflanze. Grundblätter länglich, glänzend, meist ganzrandig; Stengelblätter sitzend, eiförmig;

Kronblätter 6–7 mm lang Fruchtstand verlängert, Schoter bis 5 cm lang, bis 2,5 mm breit Fruchtklappen kaum gewölbt mit deutlichem Mittelnerv und weniger deutlichen, netzartig verbundenen Seitennerven. Blütezeit: V–IX. Standort: Quellfluren, Bachufer, nasser Felsschutt; auf Kalk; bis 2500 m. Verbreitung: Alpen; Pyrenäen, Karpaten.

3 Zwerg-Gänsekresse

Arabis pumila
(Kreuzblütler)

Pflanze mit sterilen Blattrosetten und bis 20 cm hohen, wenig beblätterten Stengeln. Grundblätter verkehrt eiförmig, auf der Fläche und am Rand behaart. Kronblätter verkehrt eiförmig, 5–8 mm lang; Schoten 2–4 cm lang, etwa 2 mm breit, Fruchtklappen mit deutlichem Mittelnerv und verzweigten Seitennerven. Blütezeit: V–IX. Standort: Felsspalten, Felsschutt, Pionierrasen; auf Kalk; bis weit über 2500 m. Verbreitung: Kalkgebiete der Alpen; Apuanische Alpen, Abruzzen.

4 Alpen-Gänsekresse

Arabis alpina
(Kreuzblütler)

Bis 40 cm hohe, von Sternhaaren und einfachen Haaren rauhe Pflanze. Grundblätter verkehrt eiförmig, grob gezähnt; Stengelblätter mit herzförmigem Grund stengelumfassend, gezähnt. Blüten deutlich gestielt; Kronblätter schmal verkehrt eiförmig, bis 1 cm lang; Schoten bis 6 cm lang, bis 2 mm breit, auf waagerecht abstehenden Stielen. Blütezeit: III–X. Standort: Felsschutt, Felsspalten, Quellfluren, Karfluren; auf Kalk; bis 3000 m. Verbreitung: Kalkgebiete der Alpen; Arktis, europäische Gebirge.

1 Weiße Zahnwurz

Cardamine enneaphyllos
(Kreuzblütler)

Bis 30 cm hohe Pflanze. Stengelblätter quirlig angeordnet, meist 3, 3zählig, mit gesägten Teilblättchen. Blüten nickend; Kronblätter bis 1,6 cm lang, gelblichweiß, etwa doppelt so lang wie die gelblichen Kelchblätter; Staubbeutel gelb; Schoten linealisch, bis 8 cm lang.
Blütezeit: IV–VIII. Standort: Laub- und Laubmischwälder, Hochstaudenfluren; bis 1500 m. Verbreitung: Von den Allgäuer Alpen im Norden und den Bergamasker Alpen im Süden ostwärts bis zur Tatra, zu den Karpaten und nach Mazedonien; Apennin.

2 Fiederspaltige Rauke

Murbeckiella pinnatifida
(Kreuzblütler)

Bis 20 cm hohe, von sehr kleinen, 3strahligen Haaren flaumige Pflanze. Grundblätter ungeteilt bis fiederspaltig mit großem Endlappen; Stengelblätter fiederspaltig. Kronblätter bis 4 mm lang, verkehrt eiförmig; Schoten bis 3 cm lang, 1 mm breit, auf abstehenden Stielen.
Blütezeit: VI–VIII. Standort: Felsspalten, Felsschutt; auf Silikat; bis über 3000 m. Verbreitung: Südwestalpen bis zum Aostatal und ins Wallis; Pyrenäen, Massif Central.

3 Resedenblättriges Schaumkraut

Cardamine resedifolia
(Kreuzblütler)

Kahle Pflanze mit bis 20 cm hohen Stengeln. Grundblätter spatelig bis 3lappig, Stengelblätter 3- bis 7lappig. Kronblätter 5–6 mm lang, ganzrandig, Schoten 12–25 × 1–1,5 mm, straff aufrecht, mit sehr kurzem Schnabel, Samen breit geflügelt.

Blütezeit: VI–VIII. Standort: Felsschutt, lückige Rasen, Felsspalten; auf kalkarmen Böden; bis über 2500 m. Verbreitung: Alpen (in den Nordalpen selten); von Spanien bis zur Balkanhalbinsel.

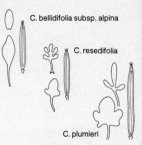

C. bellidifolia subsp. alpina

C. resedifolia

C. plumieri

Grundblätter (unten), Stengelblätter (darüber) und reife Schoten

Ähnliche Arten: **Alpen-Schaumkraut**, *C. bellidifolia subsp. alpina* (Blätter alle gleich, unzerteilt; Schoten ohne Schnabel, Samen ohne Flügel). **Plumiers Schaumkraut**, *C. plumieri* (unterste Blätter efeuartig, mit 3–5 stumpfen Lappen, untere Stengelblätter 3teilig), in den Südalpen.

4 Alpen-Schotenkresse Ⓢ

Braya alpina
(Kreuzblütler)

Bis 15 cm hohe, mit 2- und 3gabeligen, angedrückten Haaren besetzte Pflanze. Grundblätter lanzettlich, ganzrandig oder gezähnelt; Stengelblätter linealisch. Kronblätter 3–4 mm lang, vertrocknet violett; Kelchblätter oft rotviolett verfärbt, hautrandig; Schoten aufrecht stehend, 5–10 mm lang, bis 1,7 mm breit.
Blütezeit: VI–VIII. Standort: Felsschutt und lückige Rasen; auf Kalkschiefer; oberhalb 2000 m. Verbreitung: Ostalpen; von den südlichen Zillertaler Alpen und den Lechtaler Alpen ostwärts.

1

2|3

4

1 Sternhaariges Hungerblümchen

Draba stellata
(Kreuzblütler)

Draba stellata

Bis 10 cm hohe Pflanze. Stengel meist nur unten mit Sternhaaren und einfachen Haaren. Grundblätter in Rosetten, schmal spatelig, stumpf, gelegentlich an der Spitze etwas gezähnt, locker sternhaarig, die Herbstblätter fast kahl; Stengelblätter eiförmig, sitzend, weniger als 5. Kronblätter verkehrt eiförmig, 4,5–8 mm lang, vertrocknet gelegentlich gelblich; Kelchblätter 2–3 mm lang, eiförmig, hautrandig; Schötchen vom Rücken zusammengedrückt, kahl, selten etwas gewimpert, eiförmig bis etwas elliptisch, 4–10 mm lang, Griffel 0,7–1,2 mm lang, Fruchtstiele bis 1,5 cm, abstehend.
Blütezeit: V–VIII. Standort: Felsspalten, Felsschutt; um 2000 m. Verbreitung: Endemische Art der nordöstlichen Kalkalpen.
Hinweis: In den Alpen einige ähnliche Arten.

2 Felsen-Kugelschötchen

Kernera saxatilis
(Kreuzblütler)

Bis 40 cm hohe Pflanze mit oft zickzackförmig gebogenem Stengel. Grundblätter in Rosetten, gestielt, spatelförmig, ganzrandig oder an der Spitze gezähnt, anliegend borstig behaart; Stengel-

blätter ähnlich, nach oben kleiner, sitzend. Kronblätter bis 4 mm lang, verkehrt eiförmig; Kelchblätter bis 2 mm lang, gelblichgrün; Schötchen bis 3 mm lang, fast kugelig, Fruchtklappen mit deutlichem Mittelnerv.
Blütezeit: V–VIII. Standort: Felsspalten, Felsschutt, lückige Rasen; auf Kalk; bis gegen 3000 m. Verbreitung: In den Alpen vorwiegend in den kalkigen Außenketten; von den Pyrenäen bis zu den Karpaten, zur Balkanhalbinsel und zum Apennin.

3 Felsen-Bauernsenf ⓢ

Iberis saxatilis
(Kreuzblütler)

Bis 15 cm hohe Pflanze mit meist zahlreichen nichtblühenden Rosetten und blütentragenden, kurzhaarigen Stengeln. Blätter immergrün, bis 1,5 cm lang, bis 2 mm breit, mit kurzer Stachelspitze. Äußere Kronblätter 6–8 mm, doppelt so lang wie die inneren, Kelchblätter 2–3 mm lang; Schötchen seitlich zusammengedrückt, bis 8 mm lang, besonders in der oberen Hälfte breit geflügelt, an der Spitze tief ausgerandet, Griffel etwa so lang wie die Ausrandung.
Blütezeit: IV–VII. Standort: Felsspalten, Felsschutt; auf Kalk. Verbreitung: Südwestalpen, Jura; von Spanien bis zur Balkanhalbinsel.

I. saxatilis

I. sempervirens

Reife Schötchen

Ähnliche Art: Immergrüner Bauernsenf, *I. sempervirens* (Blätter bis 5 mm breit, ohne Stachelspitze, Kelchblätter 3–4 mm lang).

1 Alpen-Gemskresse

Hutchinsia alpina
(Kreuzblütler)

Bis 15 cm hohe Pflanze. Blätter gestielt, die meisten fiederschnittig. Blüten in oft lockeren Trauben; Kronblätter bis 5 mm lang, bis 3 mm breit, deutlich genagelt; Schötchen lanzettlich, 4–5 mm lang, seitlich zusammengedrückt. Blütezeit: IV–VIII. Standort: Feuchter Felsschutt, Schneetälchen; auf Kalk; bis um 3000 m. Verbreitung: Kalkgebiete der Alpen; von Nordspanien bis zu den Karpaten und nach Montenegro.

2 Dickblatt-Mauerpfeffer

Sedum dasyphyllum
(Dickblattgewächse)

Blaugrün bereifte Pflanze mit an der Spitze sehr dicht beblätterten nichtblühenden Trieben. Blätter fleischig, bis 1 cm lang, bis 5 mm dick, oberseits fast flach, unterseits gewölbt, kahl. Stengel dünn (nur 1 mm), im oberen Drittel drüsig. Kronblätter breit lanzettlich, 2- bis 3mal so lang wie der Kelch, am Grund mit gelben Flecken; 10 Staubblätter, Staubbeutel rot. Blütezeit: V–VIII. Standort: Felsspalten, Felsschutt; meist auf Silikat; bis 2500 m. Verbreitung: Alpen; weite Gebiete Europas, Nordafrika.

3 Sumpf-Herzblatt

Parnassia palustris
(Herzblattgewächse)

Bis 50 cm hohe, kahle Pflanze. Grundblätter langgestielt, herzförmig, ganzrandig. Blütenstiel grundständig, im unteren Drittel mit einem stengelumfassenden Blatt; Blüten einzeln, bis 3 cm im Durchmesser; Kronblätter rundlich eiförmig; Kelchblätter eiförmig, stumpf. Blütezeit: VI–IX. Standort: Sumpfwiesen, Flachmoore, Rasen, Felsschutt. Verbreitung: Alpen; von Nordafrika durch ganz Europa bis Sibirien.

4 Vandellis Steinbrech

Saxifraga vandellii
(Steinbrechgewächse)

Saxifraga vandellii (mittlere Südalpen) und S. valdensis (Südwestalpen)

In dichten Polstern wachsende Pflanze; Triebe dachziegelartig beblättert, blühende Stengel drüsig behaart; Grundblätter lanzettlich, in eine harte, stechende Spitze verschmälert, im Querschnitt 3eckig, 6–10 mm lang, 1,5–2,5 mm breit, knorpelrandig. Blütenstand 3- bis 7blütig; Kronblätter verkehrt eiförmig, 7–9 mm lang. Blütezeit: IV–VII. Standort: Felsspalten; auf Kalk oder Dolomit; von 1000 bis 2500 m. Verbreitung: Endemisch in den Südalpen vom Comer See bis in die Judikarischen Alpen und in das Ortler-Gebiet.

Ähnliche Arten: **Tombea-Steinbrech,** *S. tombeanensis* (Grundblätter eiförmig, 2–3 mm lang, mit nach innen gebogener Stachelspitze, Kronblätter bis 1,2 cm lang), in den Judikarischen Alpen. **Diapensienartiger Steinbrech,** *S. diapensioides* (Blätter schmal eiförmig, stumpf, 3–6 mm lang), in den Südwestalpen. **Bursers Steinbrech,** *S. burserana* (Stengel 1blütig, Kronblätter 1–1,5 cm lang), in den nordöstlichen Kalkalpen östlich des Inn und in den südöstlichen Kalkalpen von den Judikarischen Alpen ostwärts.

1 Blaugrüner Steinbrech Ⓢ

Saxifraga caesia
(Steinbrechgewächse)

In dichten Polstern wachsende Pflanze. Stengel bis 15 cm hoch, kahl, kaum beblättert, 1- bis 5blütig. Blätter dick, spatelförmig, zurückgekrümmt, blaugrün, oberseits mit Kalkpünktchen. Kronblätter eiförmig.
Blütezeit: VI–IX. Standort: Felsspalten, lückige Rasen; auf Kalk oder Dolomit; bis 2500 m. Verbreitung: Kalkgebiete der Alpen; von den Pyrenäen bis zur Balkanhalbinsel.

2 Moos-Steinbrech Ⓢ

Saxifraga bryoides
(Steinbrechgewächse)

In dichten Polstern wachsende Pflanze. Blätter lanzettlich, starr, mit Stachelspitze, am Rand mit Wimpern, rosettenartig gedrängt. Blühende Stengel bis 10 cm hoch, 1blütig. Kronblätter elliptisch, 4–6 mm lang, am Grund gelb.
Blütezeit: VII–VIII. Standort: Felsspalten, feuchter, ruhender Felsschutt; auf Silikat; 1500 bis 4000 m. Verbreitung: Alpen; von den Ostpyrenäen bis zur Balkanhalbinsel.
Ähnliche Arten: **Rauher Steinbrech, S. aspera** (Stengel meist mehrblütig, Blätter der sterilen Triebe locker stehend), vorwiegend in den Zentralalpen. **Grannen-Steinbrech, S. tenella** (Blätter knorpelrandig, Kronblätter 2–3 mm lang), in den südöstlichen Kalkalpen.

3 Rundblättriger Steinbrech

Saxifraga rotundifolia
(Steinbrechgewächse)

Bis 70 cm hohe Pflanze. Grundblätter rundlich nierenförmig, grob kerbzähnig; Stengelbätter nach oben rasch kleiner. Blütenstand mit drüsenhaarigen Ästen; Kronblätter bis 1 cm lang, in der unteren Hälfte mit gelben, in der oberen Hälfte mit roten Punkten.
Blütezeit: V–X. Standort: Bachufer, Hochstaudenfluren, Grünerlengebüsche, Bergwälder. Verbreitung: Alpen und Alpenvorland; Bergländer Südeuropas, Kleinasien.

4 Mannsschild-Steinbrech Ⓢ

Saxifraga androsacea
(Steinbrechgewächse)

Pflanze mit nichtblühenden Trieben. Grundblätter schmal spatelig, zugespitzt, ganzrandig, am Rand lang drüsenhaarig. Stengel meist 1blütig; Kronblätter verkehrt eiförmig, breiter als die Kelchblätter und doppelt so lang.
Blütezeit: V–IX. Standort: Schneetälchen, lückige Rasen; auf Kalk; bis 3000 m. Verbreitung: Kalkgebiete der Alpen; Pyrenäen, Karpaten, Balkan, Ostasien.
Hinweis: In den Alpen einige ähnliche Arten.

5 Trauben-Steinbrech Ⓢ

Saxifraga paniculata
(Steinbrechgewächse)

Bis 40 cm hohe Pflanze mit über der Mitte verzweigtem, drüsigem Stengel und grundständigen, sterilen Blattrosetten. Rosettenblätter fleischig, 2–8 mm breit, 2- bis 5mal so lang wie breit, Blattrand scharf gesägt, mit Kalkschüppchen. Kronblätter rundlich eiförmig, 3–6 mm lang, oft rot punktiert.
Blütezeit: VI–IX. Standort: Felsspalten, Felsschutt und offene Rasen; bis über 3000 m. Verbreitung: Alpen; europäische Gebirge, Kleinasien, Arktis.
Hinweis: In den Alpen mehrere ähnliche Arten.

1 Sternblütiger Steinbrech ⓢ

Saxifraga stellaris
(Steinbrechgewächse)

Bis 30 cm hohe Pflanze mit grundständigen Rosetten. Stengel blattlos, zerstreut drüsig.

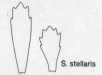

S. stellaris

Grundblätter

Grundblätter verkehrt eiförmig, fleischig, glänzend, meist kahl, an der Spitze gezähnt. Blüten langgestielt; Kronblätter lanzettlich, meist 5, weiß mit zitronengelben Punkten; Kelchblätter schmal, zurückgeschlagen.
Blütezeit: VI–IX. Standort: Quellfluren, Bachufer. Verbreitung: Alpen; Gebirge Mittel- und Südeuropas; Skandinavien, Arktis.

2 Pracht-Steinbrech

Saxifraga cotyledon
(Steinbrechgewächse)

Bis 80 cm hohe Pflanze mit bis 15 cm breiten Rosetten und fast vom Grund an verzweigtem, dicht rötlich drüsenhaarigem Stengel. Grundblätter zur Spitze hin deutlich verbreitert, bis 8 cm lang, bis 2 cm breit, lederig derb, am Rand regelmäßig knorpelig gezähnt. Kronblätter bis 1 cm lang, oft mit rötlichen Nerven.
Blütezeit: VI–VIII. Standort: Felsspalten; auf Silikat. Verbreitung: Von den Grajischen Alpen und Savoyen nach Osten bis Graubünden, Vorarlberg und Veltlin; Pyrenäen, Karpaten, Nordeuropa.

3 Karst-Steinbrech

Saxifraga petraea
(Steinbrechgewächse)

Bis 20 cm hohe, drüsig behaarte Pflanze ohne nichtblühende Triebe. Grundblätter tief 3- bis 5teilig mit grob gezähnten Abschnitten, 1–3 cm breit; oberste Stengelblätter weniger tief zerteilt. Blütenstiele mehrmals länger als die Blüte; Kronblätter verkehrt eiförmig, vorn ausgerandet, 7–10 mm lang.
Blütezeit: V–VIII. Standort: Felsspalten, Mauern; auf Kalk; bis 2000 m. Verbreitung: Südalpen; Istrien, Kroatien.

4 Gewöhnliche Felsenbirne ⓢ

Amelanchier ovalis
(Rosengewächse)

Bis 5 m hoher Strauch; Blätter breit elliptisch, gezähnt, oberseits dunkelgrün, kahl, unterseits graugrün, jung filzig. Blüten bis 4 cm breit; Kronblätter bis 2 cm lang, schmal verkehrt eiförmig; 20 Staubblätter, 5 Griffel; Frucht blauschwarz.
Blütezeit: V–VII. Standort: Trockene Felshänge, Gebüsche; auf Kalk; bis 2000 m. Verbreitung: Alpen; Süd- und Mitteleuropa, besonders in den Gebirgen; Nordafrika, Kleinasien, Kaukasus.

1 Wald-Geißbart ⓢ

Aruncus dioicus
(Rosengewächse)

Bis 2 m hohe Pflanze. Blätter doppelt bis 3fach 3zählig, mit eiförmigen, zugespitzten, scharf gesägten Blättchen. Blütenstand bis 50 cm lang, zuletzt überhängend; Blüten 2–4 mm im Durchmesser, kurzgestielt; Kronblätter gelblichweiß bis reinweiß, 1–2 mm lang; Frucht hängend, bis 3 mm lang; weibliche und männliche Blüten auf verschiedenen Pflanzen.

Blütezeit: V–VIII. Standort: Schluchtwälder, Bachufer, Hochstaudenfluren. Verbreitung: Alpen; von den Pyrenäen bis zum Kaukasus und Himalaja.

Hinweis: Dies ist die einzige Gattung der Rosengewächse, deren Pflanzen zweihäusig sind mit eingeschlechtigen Blüten. Bei allen anderen Gattungen sind die Blüten zwitterig oder es sind männliche und weibliche Blüten im gleichen Blütenstand zu finden.

2 Silberwurz ⓢ

Dryas octopetala
(Rosengewächse)

Niederliegender, rasenbildender Zwergstrauch. Blätter immergrün, eiförmig mit gekerbtem, umgerolltem Rand, Oberseite dunkelgrün glänzend, Unterseite weißfilzig. Blüten einzeln, sehr lang (bis 10 cm) gestielt, Stiel und Kelch behaart und rotbraun drüsig; meist 8 Kronblätter, verkehrt eiförmig, bis 2 cm lang; Früchte klein, zahlreich, behaart, mit fedrigem, silberglänzendem Griffel.

Blütezeit: V–VIII. Standort: Felsschutt und Pionierrasen, seltener Zwergstrauchheiden; stets auf Kalk. Verbreitung: Kalkgebiete der Alpen; von den Pyrenäen bis zur Balkanhalbinsel; Karpaten, Arktis.

Interessantes zur Biologie: Die Gattung *Dryas* hat sich vermutlich im Verlauf der letzten Eiszeiten von Nordamerika aus über weite Gebiete der Nordhalbkugel verbreitet und dabei auch die Alpen erreicht. Fossile Funde - vor allem in Ton- und Kalktuffablagerungen - von Dryasblättern in einem großen Bereich Europas lassen erkennen, daß es die Silberwurz in größeren Mengen hauptsächlich während der letzten Eiszeit in den eisfreien Gebieten gab. Von dort aus hat sie mit dem Zurückweichen des Gletschereises die Kalkgebiete der Alpen erobert.

Heute kommt die Silberwurz dort in Höhen zwischen 1200 und 2500 m vor, doch kann sie an entsprechenden Stellen noch bei 500 m und 3000 m wachsen. Häufig findet man sie in Gesellschaft der Schneeheide und der Bewimperten Alpenrose, in höheren Lagen auch zusammen mit Alpen-Bärentraube, Polstersegge und Blaugrünem Steinbrech.

Ihrer wolligen Fruchtschöpfe wegen hat die Silberwurz einige Volksnamen mit den Küchenschellen und *Geum*-Arten der Alpen gemeinsam, die ebenfalls lange, federig behaarte Griffel und wollig wirkende Fruchtschöpfe haben, so Frauenhaar Petersbart, Wildes Männle.

Die grün überwinternden Blätter werden von den Alpentieren als Winterfutter genutzt. Der aus den Blättern gewonnene Tee wird als Heilmittel verwendet.

1 Stengel-Fingerkraut

Potentilla caulescens
(Rosengewächse)

Bis 30 cm hohe Pflanze. Stengel abstehend zottig behaart mit einfachen und Drüsenhaaren. Grundblätter meist 5teilig; Blättchen an der Spitze gestutzt und gezähnt, Stengelblätter weniger zerteilt. Blüten 1,5–2,5 cm breit; Kronblätter bis 1 cm lang, verkehrt eiförmig, länger als der Kelch, Staubfäden ganz oder in der unteren Hälfte behaart, Griffel kahl, gelb, bald abfallend.
Blütezeit: VI–IX. Standort: Felsspalten; auf Kalk; bis 2500 m.
Verbreitung: Kalkgebiete der Alpen; von Nordafrika bis zur Balkanhalbinsel.
Hinweis: In den Alpen einige ähnliche Arten.

2 Wald-Wicke

Vicia sylvatica
(Schmetterlingsblütler)

Bis 2 m hoch kletternde, meist kahle Pflanze. Blätter mit bis zu 20 Blättchen, mit verzweigten Ranken endend. Blüten bis 2 cm lang, nickend, in langgestielten Trauben; Fahne blauviolett geädert, Schiffchenspitze oft violett.
Blütezeit: VI–VIII. Standort: Bergwälder, Gebüsche, Hochstaudenfluren; bis über 2000 m.
Verbreitung: Alpen; von Südfrankreich bis Skandinavien, bis zur Balkanhalbinsel und bis nach Sibirien.

3 Gletscher-Tragant

Astragalus frigidus
(Schmetterlingsblütler)

Bis 40 cm hohe Pflanze mit kahlem Stengel. Blätter mit 7–15 Blättchen, diese oberseits kahl, unterseits zerstreut behaart; Nebenblätter bleich, eiförmig, bis 2 cm lang. Blüten nickend, gelblichweiß; Fahne eiförmig, gefaltet, 1,4–1,7 cm lang, nur wenig länger als die Flügel und das stumpfe Schiffchen; Kelch röhrenförmig, mit einzelnen, kurzen, dunklen Haaren.
Blütezeit: VII–IX. Standort: Rasen; auf Kalk; meist über 1800 m.
Verbreitung: Alpen, besonders in den Kalkgebieten; Tatra, Altai, arktisches Europa und Asien.

4 Immergrüner Tragant

Astragalus sempervirens
(Schmetterlingsblütler)

Bis 20 cm hoher, niederliegender Strauch. Blätter paarig gefiedert, mit kräftiger, in eine Dornspitze auslaufender Blattrippe. Blüten etwa 1,5 cm lang, in kurzgestielten, halb in den Blättern verborgenen Trauben; Kronblätter rosa bis weißlich; Fahne länger als Flügel und Schiffchen; Kelch glockig, dicht zottig weißhaarig.
Blütezeit: VI–VIII. Standort: Felsschutt, lückige Rasen, lichte Föhrenwälder; auf Kalk. Verbreitung: Westalpen, nach Osten bis ins Tessin, in die Berner Alpen und in den südlichen Jura; von den spanischen Gebirgen bis zum Apennin.

1

2|3

4

1 Blaßblütiger Storchschnabel

Geranium rivulare
(Storchschnabelgewächse)

Bis 50 cm hohe Pflanze. Stengel aufrecht, meist gabelig verzweigt. Obere Stengelblätter gegenständig. Blätter 5–7teilig mit unregelmäßig zerteilten, gezähnten Abschnitten. Blüten 5zählig, radiär; Blütenstiele und Kelch ohne Drüsenhaare, nur mit anliegenden Haaren; Kronblätter weiß mit roten Nerven, 1–1,5 cm lang. Blütezeit: VII–IX. Standort: Bachränder, Gebüsche; auf kalkarmen Böden. Verbreitung: Westalpen, ostwärts bis Engadin und Südtirol.

2 Gemeines Hexenkraut

Circaea lutetiana
(Nachtkerzengewächse)

Bis 60 cm hohe, kurzhaarige Pflanze. Blätter gegenständig, entfernt gezähnt, oberseits matt. Blüten 2zählig; 2 Kelchblätter, zurückgeschlagen, drüsenhaarig; Kronblätter 2–4 mm lang, tief 2spaltig; Frucht verkehrt eiförmig, 3–4 mm lang, 2fächerig, dicht hakenhaarig. Blütezeit: VII–VIII. Standort: Wälder, Gebüsche. Verbreitung: Alpen; Europa, Asien, Nordamerika. Hinweis: 2 ähnliche Arten.

3 Villars Kälberkropf

Chaerophyllum villarsii
(Doldengewächse)

Bis 1 m hohe Pflanze; Stengel rauhhaarig; Blätter im Umriß 3eckig, mehrfach gefiedert, mit schmalen, fiederteiligen, spitzen Abschnitten, unterseits auf den Nerven borstig behaart. Dolden mit 10–20 Strahlen; Hüllblätter fehlen, Hüllchenblätter lanzettlich, mit häutigem, lang gewimpertem Rand. Kronblätter weiß, gewimpert; Frucht 8–20 mm lang, 1–3 mm dick, kahl, dunkelbraun, mit hellen, bis zum Griffelpolster reichenden Längsrippen. Blütezeit: V–IX. Standort: Rasen, Hochstaudenfluren, Grünerlengebüsche, lichte Bergwälder; auf kalkarmen Böden; bis über 2000 m. Verbreitung: Alpen; Jugoslawien, Albanien.

Hinweis: In den Alpen gibt es eine Anzahl ähnlicher Arten, die anhand der reifen Früchte leicht als zur Gattung *Chaerophyllum* gehörig erkannt werden können. Manche in der Gestalt recht ähnliche Arten der Gattung *Anthriscus*, Kerbel, können am leichtesten an reifen Früchten unterschieden werden (Frucht 6–10 mm lang, unterhalb des Griffelpolsters mit einer bis 2 mm langen, aus feinen Längsfalten bestehenden matten Zone, sonst lackartig glänzend, schwarzbraun).

4 Meisterwurz

Peucedanum ostruthium
(Doldengewächse)

Bis 1,50 m hohe, fast kahle Pflanze. Grundblätter bis 40 cm breit und lang, 3teilig mit gestielten, tief 3teiligen Teilblättern, Mittellappen gelegentlich nochmals 3lappig. Dolden groß, mit bis zu 50 Strahlen; Hülle fehlend, Hüllchenblätter fadenartig; Frucht

P. ostruthium

Frucht

rundlich, kahl, mit breiten, flügelähnlichen Randrippen der Teilfrüchte, am Rücken mit 3 Längsrippen. Blütezeit: VI–IX. Standort: Bergwiesen, Hochstaudenfluren, Grünerlengebüsche, Bergwälder; über 1000 m. Verbreitung: Alpen; Gebirge Europas.

1 Alpen-Augenwurz

Athamanta cretensis
(Doldengewächse)

Bis 40 cm hohe, grauhaarige Pflanze. Blätter mehrfach gefiedert mit höchstens 1 mm breiten Blattzipfeln. Dolden mit 5–15 Strahlen und höchstens 5 Hüllblättern, von denen oft eines blattartig und doppelt fiederteilig ist. Frucht schmal eiförmig, 5–7 mm lang, dicht kurzhaarig.

A. cretensis

Frucht

Blütezeit: V–IX. Standort: Felsschutt, Pionierrasen; auf Kalk; bis über 2500 m. Verbreitung: Kalkgebiete der Alpen; Schwäbische Alb; von Spanien bis zur Balkanhalbinsel.

2 Hallers Laserkraut

Laserpitium halleri
(Doldengewächse)

Bis 60 cm hohe Pflanze. Blätter mehrfach gefiedert mit linealischen Blattzipfeln. Dolden zur Blütezeit halbkugelig, mit 15–40 Doldenstrahlen; Hüllblätter zahlreich, mit breitem, gewimpertem Hautrand; Hüllchenblätter zum größten Teil häutig. Frucht 6–10 mm lang, hellbraun mit hellen, auffallenden, häutigen Flügeln.

Frucht   L. halleri

Blütezeit: VI–IX. Standort: Rasen, Felsschutt, lichte Wälder; auf Silikat; bis weit über 2500 m. Verbreitung: Von den Cottischen Alpen ostwärts bis zu den Stubaier Alpen und zu den Westlichen Dolomiten.

Hinweis: In höheren Lagen der Alpen noch weitere Arten, die sich am leichtesten anhand von reifen Früchten der Gattung *Laserpitium* zuordnen lassen.

3 Berg-Bärenklau

Heracleum sphondylium
subsp. montanum
(Doldengewächse)

Bis 1,50 m hohe Pflanze mit kräftigem, borstig behaartem Stengel; Grundblätter bis 50 cm lang und breit, rundlich, oft tief handförmig 3- bis 7teilig, oberseits kahl, grün, unterseits graugrün, behaart; Stengelblätter höchstens 3teilig, mit großen, aufgeblasenen Scheiden. Dolden über 10 cm breit, mit 15–30 Strahlen und höchstens 3 Hüllblättern;

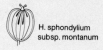

H. sphondylium
subsp. montanum

Frucht

Hüllchenblätter zahlreich, Kronblätter verkehrt eiförmig, das äußere Kronblatt der Randblüten bis 1 cm lang. Frucht kahl, flach, scheibenförmig, 7–10 mm lang, am Rand mit breiten, dicken, flügelähnlichen Rippen, die Rippen des Fruchtrückens nur gegen die Spitze der Teilfrüchte undeutlich sichtbar.

Blütezeit: VI–VIII. Standort: Wiesen, Hochstaudenfluren, Bergwälder; meist über 1000 m. Verbreitung: Alpen, Vogesen, Schwarzwald.

Hinweis: In den Alpen noch weitere Arten, die am leichtesten anhand von reifen Früchten als zur Gattung *Heracleum* gehörig zu erkennen sind.

1 Einblütiges Wintergrün ⓢ

Moneses uniflora
(Wintergrüngewächse)

Bis 15 cm hohe Pflanze mit gegenständigen, 1–3 cm breiten, runden, am Rand fein gezähnten, grundständigen Blättern. Stengel 1blütig, mit einem schuppenförmigen Hochblatt. Blüten bis 2 cm breit; Kelchblätter eiförmig, stumpf, gezähnt; Kronblätter 8–12 mm lang, eiförmig. Griffel gerade.
<u>Blütezeit</u>: V–VII. <u>Standort</u>: Bodensaure Wälder, fast ausschließlich Nadelwälder. <u>Verbreitung</u>: Fast ganz Europa mit Ausnahme des äußersten Südens, hauptsächlich in den Gebirgen; Asien, Nordamerika.

2 Alpen-Bärentraube

Arctostaphylos alpinus
(Heidekrautgewächse)

Kriechender Zwergstrauch. Blätter sommergrün, bis 5 cm lang, verkehrt lanzettlich, am Rand fein gesägt, in der unteren Hälfte lang weiß gewimpert, im Herbst leuchtend rot verfärbt. Blüten grünlichweiß, krugförmig, mit auswärts gebogenen Kronzipfeln. Frucht anfangs rot, reif blauschwarz.

A. alpinus

Blüte

<u>Blütezeit</u>: V–VI. <u>Standort</u>: Humusreiche Kalkböden; lückige Rasen, Zwergstrauchbestände, lichte Bergwälder und Latschengebüsche; bis 2600 m. <u>Verbreitung</u>: Alpen; viele Gebirge Europas, Arktis Europas und Nordamerikas.

3 Immergrüne Bärentraube ⓢ

Arctostaphylos uva-ursi
(Heidekrautgewächse)

Reich verzweigter, kriechender Strauch. Blätter immergrün, lederig derb, verkehrt eiförmig, mit flachem, kraus behaartem Rand, 1–3 cm lang, 5–15 mm breit, oberseits glänzend, unterseits matt, ohne deutliches Adernetz. Kelch kahl, tief 5spaltig; Krone krugförmig, nach vorne verengt, gelblichweiß mit rosa Saum, 5–6 mm lang, mit auswärts gekrümmten Zipfeln. Frucht eine kugelige, mehlige, rote Beere.
<u>Blütezeit</u>: III–VII. <u>Standort</u>: Zwergstrauchbestände, lichte Nadelwälder, Felsschutt; bis über 2500 m. <u>Verbreitung</u>: Alpen; fast ganz Europa, große Gebiete Asiens und Nordamerikas.

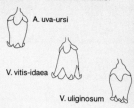

A. uva-ursi

V. vitis-idaea

V. uliginosum

Blüten

<u>Ähnliche Arten</u>: **Preiselbeere**, *Vaccinium vitis-idaea* (Blätter mit dickem, nach unten gebogenem Rand, unterseits von kurzen, braunen Drüsenhaaren wie punktiert, Krone breit glockenförmig). **Rauschbeere, Moorbeere**, *Vaccinium uliginosum* (bis 50 cm hoher Strauch, Blätter sommergrün, dünn, oberseits blaugrün, unterseits heller, mit deutlichem Adernetz, Krone kurz zylindrisch, Frucht eine dunkelblaue Beere mit hellem Fleisch).

1 Kleinstes Alpenglöckchen

Soldanella minima
(Primelgewächse)

Soldanella austriaca (Nordostalpen östlich der Salzach) und S. minima (Rest)

Bis 10 cm hohe Pflanze mit grundständigen, rundlichen Blättern. Blattstiele, Schaft und Blütenstiele mit gestielten Drüsen; Drüsenstiele erheblich länger als die Drüsenköpfe. Krone trichterförmig, etwa auf ⅓ geteilt, weißlich bis blaßviolett.
Blütezeit: IV–VI. Standort: Kalk-Schneetälchen; bis 2500 m. Verbreitung: Südliche Kalkalpen vom Veltlin bis in die Steiner Alpen, in den Nordalpen selten.
Ähnliche Art: Österreichisches Alpenglöckchen, *S. austriaca* (Krone weniger stark zerteilt, Drüsenstiele kürzer als die Drüsenköpfe).

2 Zwerg-Mannsschild

Androsace chamaejasme
(Primelgewächse)

Bis 10 cm hohe Pflanze. Blätter lanzettlich, kahl, nur am Rand mit einfachen Haaren und sehr kurzen Drüsenhaaren. Schaft, Tragblätter und Kelch ebenso behaart. Kelch glockenförmig, 3–4 mm lang; Krone weiß bis weißlich rosa, Kronsaum flach ausgebreitet.
Blütezeit: VI–VIII. Standort: Rasen, Felsschutt; auf Kalk; meist über 1500 m. Verbreitung: Kalkgebiete der Nordalpen, sonst selten; Pyrenäen, Karpaten.

3 Schweizer Mannsschild

Androsace helvetica
(Primelgewächse)

In sehr dichten und festen, halbkugeligen Polstern wachsende, von einfachen, bis 0,4 mm langen Haaren graue Pflanze. Blätter schmal eiförmig, 2–4 mm lang, bis 1,5 mm breit. Blüten einzeln, sehr kurz (bis 1,5 mm) gestielt, Kronsaum flach ausgebreitet.
Blütezeit: V–VII. Standort: Kalkfelsspalten; bis über 3700 m. Verbreitung: Kalkgebiete der Nord- und Zentralalpen, in den Südalpen nur vereinzelt.
Ähnliche Art: Vandellis Mannsschild, *A. vandellii* (Blätter von zahlreichen kurzgestielten Sternhaaren weißlich), in Silikatfelsspalten.

4 Hausmanns Mannsschild

Androsace hausmannii
(Primelgewächse)

In kleinen Polstern wachsende, von höchstens 0,2 mm langen, meist 3teiligen Haaren graue Pflanze. Blätter 5–10 mm lang, 1 mm breit, stumpf. Kronblätter außen oft rosa überlaufen (Knospen rötlich), innen gelblichweiß oder weiß; Kronsaum ausgebreitet, 3–4 mm breit.
Blütezeit: VI–VIII. Standort: Felsspalten und Felsschutt; auf Dolomit; bis über 2000 m. Verbreitung: In den Südalpen von den Bergamasker- bis zu den Steiner Alpen, in den Nordalpen sehr selten.

1

2|3

4

1 Fieberklee

Menyanthes trifoliata
(Enziangewächse)

Bis 35 cm hohe, kahle Pflanze.
Blätter an der Spitze des unterirdisch kriechenden Stengels, langgestielt, am Grund scheidenartig
verbreitert; Blattspreiten 3teilig,
kleeartig mit ovalen Blättchen.
Blütenstand eine langgestielte
Traube; Kelch fast bis zum
Grund 5teilig; Krone mit kurz
trichterförmiger Röhre und 5
nach außen zurückgerollten, auf
der Innenseite bärtigen Zipfeln.
Blütezeit: V–VII. Standort:
Flachmoore, quellige Stellen; bis
über 2000 m. Verbreitung: Alpen;
Europa, Asien, Nordamerika.

2 Schwalbenwurz

Vincetoxicum hirundinaria
(Schwalbenwurzgewächse)

Bis 1 m hohe, kaum behaarte
Pflanze. Blätter gegenständig,
kurzgestielt, breit lanzettlich mit
gerundetem oder herzförmigem
Grund, unterseits auf den Nerven kurz flaumig behaart. Blütenstände in den oberen Blattachseln, aus mehreren Teilblütenständen zusammengesetzt;
Kelchzipfel 2 mm lang, spitz;
Krone trichterförmig, 4–7 mm
breit, tief 5zipfelig.
Blütezeit: V–VIII. Standort:
Felshänge, lichte Wälder, Gebüsche; bis 1700 m. Verbreitung:
Alpen; Europa mit Ausnahme
des Nordens, Asien, Nordafrika.

3 Berg-Gamander

Teucrium montanum
(Lippenblütler)

Rasenförmig wachsender Zwergstrauch mit anliegend weißhaari-
gen Ästen. Blätter schmal elliptisch, ganzrandig, oberseits dunkelgrün, unterseits dicht weißfilzig. Blüten in Köpfen; Krone
gelblichweiß ohne Oberlippe,
Unterlippe an der Basis zusammengezogen, 5teilig; Kelch bis
1 cm lang, ziemlich regelmäßig
5zähnig.
Blütezeit: V–VIII. Standort:
Trockene Felshänge, lückige Rasen, Felsschutt; auf Kalk; bis etwa 2000 m. Verbreitung: Kalkgebiete der Alpen; Gebirge Südeuropas; nach Norden bis Belgien;
Jura und Karpaten; Kleinasien.

4 Weiße Taubnessel

Lamium album
(Lippenblütler)

Bis 50 cm hohe, zerstreut behaarte Pflanze. Blätter gegenständig,
gestielt, breit lanzettlich, am
Grund herzförmig bis gerundet
grob gesägt. Blüten sitzend, in
quirlähnlichen Teilblütenständen in den Achseln der oberen
Blätter; Kelch trichterartig mit
ungleichen, spitzen Zähnen;
Krone 2–2,5 cm lang, mit ge-
wölbter Oberlippe und nach unten gefalteter Unterlippe.
Blütezeit: IV–VIII. Standort: Gebüsche, Wegränder, Almflächen.
Verbreitung: Alpen; große Gebiete Europas, Nord- und Ostasien.

1 Alpen-Fettkraut   Ⓢ

Pinguicula alpina
(Wasserschlauchgewächse)

5–15 cm hohe Pflanze. Blätter gelbgrün, elliptisch, stumpf, am Rand eingerollt, drüsig klebrig (Fang kleiner Insekten!), in grundständiger Rosette. Blüten einzeln auf drüsigen Stielen; Krone mit Sporn 1–2 cm lang, rahmweiß mit gelben Flecken auf der Unterlippe, Oberlippe 2spaltig, Unterlippe länger als die Oberlippe, 3lappig; Sporn etwa ein Viertel so lang wie der Rest der Krone, gelblich bis grünlich. Blütezeit: V–VII. Standort: Rasen, Flachmoore, Quellfluren; bis über 2500 m. Verbreitung: Alpen; Pyrenäen, Nordeuropa. Als Eiszeitrelikt im Bodenseegebiet, bayerischen Alpenvorland und Wiener Becken.

2 Gemeiner Augentrost

Euphrasia rostkoviana
(Braunwurzgewächse)

Bis 30 cm hohe, im oberen Teil drüsig behaarte Pflanze. Stengel meist im unteren Teil verzweigt. Blätter sitzend, eiförmig, die oberen mit auf jeder Seite 3–6 kaum begrannten Zähnen. Blüten einzeln in den Achseln der oberen Blätter; Kelch 5–6 mm lang; Krone 8–14 mm lang, sich während der Blütezeit verlängernd und mit ihrer Röhre den Kelch überragend. Frucht eine 4–6 mm lange, längliche, behaarte Kapsel. Blütezeit: V–X. Standort: Wiesen, Weiden. Verbreitung: Alpen; fast ganz Europa mit Ausnahme des Nordens und des Südens. Hinweis: Im Gebiet der Alpen noch zahlreiche weitere Arten, die sich durch fehlende Drüsen, oft kleinere Blüten, kleinere oder stärker gezähnte Blätter und abweichende Fruchtmerkmale unterscheiden. Alle Augentrostarten sind Halbschmarotzer, die vorwiegend auf Gräsern und Sauergräsern parasitieren.

3 Nordisches Moosglöckchen   Ⓢ

Linnaea borealis
(Geißblattgewächse)

Bis 15 cm hoher, zierlicher, kriechender Zwergstrauch. Blätter gegenständig, breit eiförmig bis rundlich, in der vorderen Hälfte kerbig gesägt, kurzgestielt, lederartig derb. Blühende Sprosse aufrecht, meist 2blütig, Blütenstiele lang, drüsig. Blüten bis 1 cm lang; Krone weißlich bis rosa, duftend, glockig. Blütezeit: VII–VIII. Standort: Zwergstrauchbestände, moosreiche Lärchen-, Fichten- oder Zirbenwälder; bis 2000 m. Verbreitung: Alpen (besonders in den Zentralalpen), Nordeuropa, Sudeten, Karpaten, Tatra, Kaukasus, Ural; nördliches Nordamerika.

1 Alpen-Labkraut

Galium anisophyllon
(Rötegewächse)

Bis 20 cm hohe, oft rasenförmig wachsende Pflanze. Blätter in Quirlen zu 5–8, lanzettlich, die oberen zur Spitze hin deutlich verbreitert, stachelspitzig; Blätter der nichtblühenden Sprosse eiförmig lanzettlich. Blüten in lockeren Trugdolden; Krone bis 3 mm breit, ausgebreitet, gelblichweiß, mit 4 spitzen Kronblättern.
Blütezeit: VII–IX. Standort: Felsschutt, lückige Rasen; meist über 1000 m. Verbreitung: Alpen; Gebirge Mittel- und Südeuropas von den Cévennen bis Bulgarien.
Hinweis: In den Alpen zahlreiche weitere Labkraut-Arten.

2 Seealpen-Meister ⓢ

Asperula hexaphylla
(Rötegewächse)

Bis 20 cm hohe Pflanze mit kahlen Stengeln. Blätter meist in 6zähligen Quirlen, kahl, lineallanzettlich, 1,4–2,5 cm lang, etwa 1 mm breit, mit rauhem Rand. Blüten duftend, fast sitzend, in köpfchenartigen Blütenständen; Krone rosaweiß, Kronröhre 5–6 mm lang, Kronzipfel 2–3 mm lang, meist stark nach außen zurückgebogen. Frucht etwa 1,5 mm lang und breit, kahl.
Blütezeit: V–VII. Standort: Felsspalten, Felsschutt; auf Kalk. Verbreitung: Endemische Art der Südwestalpen von Italien und Frankreich.

3 Felsenbaldrian

Valeriana saxatilis
(Baldriangewächse)

Bis 30 cm hohe Pflanze. Blätter alle einfach, Grundblätter elliptisch bis lanzettlich, in einen langen Stiel verschmälert, ganzrandig oder unregelmäßig gekerbt, Stengelblätter linealisch. Blütenstand zusammengesetzt, die unteren Äste oft herabgerückt; Krone weiß, 2–4 mm lang. Frucht von gefiederten Borsten gekrönt.
Blütezeit: V–IX. Standort: Felsspalten, Felsschutt, lückige Rasen; auf Kalk oder Dolomit; bis 2500 m. Verbreitung: Alpen vom Vierwaldstätter See und Tessin ostwärts; Balkanhalbinsel, Nordapennin, Karpaten.

4 Edelweiß ⓢ

Leontopodium alpinum
(Korbblütler)

5–25 cm hohe Pflanze mit dicht wolligem Stengel und besonders auf der Unterseite weißfilzig behaarten, länglich lanzettlichen Blättern. Köpfchen 5–6 mm lang, mit wenigen, ausschließlich röhrenförmigen Blüten, in einen endständigen Köpfchenstand mit großen, weißfilzigen, sternförmigen angeordneten Hochblättern zusammengefaßt.
Blütezeit: VII–IX. Standort: Felsspalten, grasige Schutthalden und lückige Rasen; vorwiegend auf Kalk; meist über 1500 m. Verbreitung: Alpen; Pyrenäen, Karpaten, nördliche Balkanhalbinsel.

1

2|3

4

1 Alpen-Maßliebchen

Aster bellidiastrum
(Korbblütler)

Bis 30 cm hohe Pflanze. Blätter verkehrt eiförmig oder elliptisch, ganzrandig oder vorne gekerbt, in den Blattstiel verschmälert, 3nervig. Köpfchen einzeln, auf blattlosen Schäften; Hüllschuppen in 2 Reihen; bis zu 50 Randblüten, Scheibenblüten gelb; Achänen länglich, behaart, mit rauhen Pappushaaren.
Blütezeit: V–VIII. Standort: Rasen, Quellfluren, lichte Bergwälder; bis weit über 2000 m. Verbreitung: Alpen; Gebirge und Mittelgebirge Mittel- und Südeuropas.
Ähnliche Art: **Gänseblümchen,** *Bellis perennis* (Blätter 1nervig, Achänen ohne Pappus, mit verdicktem Rand).

2 Hallers Wucherblume

Leucanthemum atratum subsp. halleri
(Korbblütler)

10–40 cm hohe Pflanze mit aufrechten, 1köpfigen, beblätterten Stengeln. Blätter kahl, länglich spatelig, grob gezähnt bis gesägt. Köpfe bis 5 cm breit, Hülle halbkugelig, Hüllblätter mehrreihig, grün, breit schwarzrandig; Köpfchenboden ohne Spreuschuppen.
Blütezeit: VII–IX. Standort: Felsschutt, offener Rasen; auf Kalk; meist über 1500 m. Verbreitung: Vom Wallis bis Oberösterreich und Kärnten.
Ähnliche Arten: **Schwarzrandige Wucherblume,** *L. atratum subsp. atratum* (Blätter weniger tief zerteilt, Stengelblätter mit nach vorne eingebogenen Zähnen). **Krähenfußblättrige Wucherblume,** *L. atratum subsp. coronopifolium* (Blätter bis über die Mitte fiederteilig, Grundblätter tief zerteilt mit wenigen Lappen). **Hornblattblättrige Wucherblume,** *L. atratum subsp. ceratophylloides* (Grundblätter tief zerteilt, Stengelblätter bis über die Mitte fiederteilig mit gabeligen oder fiederspaltigen Abschnitten). **Burnats Wucherblume,** *L. burnati* (Grundblätter länglich, ganzrandig, gelegentlich an der Spitze mit 3 Zähnen, Stengelgrund mit weißlichen, bleibenden Resten von Blattstielen). **Gewöhnliche Wucherblume, Margerite,** *L. vulgare-Gruppe* (Grundblätter spatelig, gezähnt, Stengelblätter schmal spatelig bis lanzettlich am Grund oft mit einzelnen Fiedern). **Alpen-Margerite,** *Leucanthemopsis alpina* (Grundblätter fiederteilig oder handförmig geteilt).

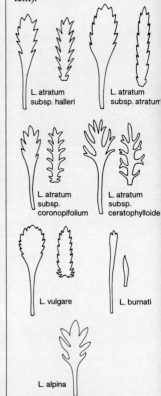

L. atratum
subsp. halleri

L. atratum
subsp. atratum

L. atratum
subsp.
coronopifolium

L. atratum
subsp.
ceratophylloide

L. vulgare

L. burnati

L. alpina

Grundblätter und Stengelblätter

1 Schwarze Schafgarbe

Achillea atrata
(Korbblütler)

Bis 20 cm hohe, kaum aromatisch riechende Pflanze. Blätter fiederteilig, mit meist 2- bis 5zähnigen Zipfeln, ohne Drüsenpunkte. Köpfchen 1–1,5 cm breit, zu 3–20 am Stengelende; Hülle 4–5 mm hoch, Hüllblätter mit breitem schwarzbraunem Rand; Köpfchenboden mit kahlen Spreublättern.

<u>Blütezeit</u>: VII–VIII. <u>Standort</u>: Felsschutt, lückige Rasen; auf Kalk; über 1000 m. <u>Verbreitung</u>: Nordalpen und südöstliche Kalkalpen.

A. erba-rotta
A. atrata   A. morisiana

A. moschata   A. clusiana   A. oxyloba

Untere Stengelblätter

<u>Ähnliche Arten</u>: **Westalpen-Schafgarbe**, *A. erba-rotta* (Blätter unzerteilt, oft nur vorne gezähnt). **Moris-Schafgarbe**, *A. morisiana* (Blätter schwach fiederteilig, unzerteilter Teil mindestens so breit wie die Fiedern). **Moschus-Schafgarbe**, *A. moschata* (Pflanze aromatisch riechend, Blätter fiederteilig, mit meist ganzrandigen Zipfeln, drüsig gepunktet). **Clusius-Schafgarbe**, *A. clusiana* (Pflanze aromatisch riechend, Blätter 2- bis 3fach fiederschnittig). **Dolomiten-Schafgarbe**, *A. oxyloba* (1köpfig, Köpfchen 2–3 cm breit).

2 Bittere Schafgarbe

Achillea clavennae
(Korbblütler)

Achillea clavennae

Bis 40 cm hohe, weißfilzige Pflanze. Grundblätter fiederspaltig. Köpfchen 1–2 cm breit; Scheibenblüten grauweiß; Hüllblätter mit schwarzbraunem Rand.

<u>Blütezeit</u>: VI–IX. <u>Standort</u>: Felsspalten, Felsschutt, lückige Rasen; auf Kalk; meist über 1500 m. <u>Verbreitung</u>: Kalkalpen östlich von Luganer See und Achensee Balkanhalbinsel.

3 Zwerg-Schafgarbe

Achillea nana
(Korbblütler)

Achillea nana

Bis 15 cm hohe, wollig behaarte Pflanze. Grundblätter einfach oder doppelt fiederteilig. Köpfchenstiele sehr kurz; Hülle 4–6 mm lang, Hüllblätter mit breitem braunem Rand.

<u>Blütezeit</u>: VII–IX. <u>Standort</u>: Felsspalten, Felsschutt, Rasen; auf kalkarmen Böden; meist über 2000 m. <u>Verbreitung</u>: Von den Seealpen bis ins Ortlergebiet; Apennin.

1 Alpen-Pestwurz

Petasites paradoxus
(Korbblütler)

Bis 50 cm hohe Pflanze. Stengel weißfilzig, mit Schuppenblättern, vor den Laubblättern blühend, zur Blütezeit bis 30 cm, zur Fruchtzeit bis 60 cm hoch. Blätter ausgewachsen 3eckig herzförmig, bis 20 cm breit, oberseits graugrün, matt, unterseits dicht weißfilzig, gezähnt, Zähne hell. Blüten alle röhrenförmig; Köpfe etwa 1 cm breit, in anfangs dichten, später verlängerten Trauben; Hüllblätter rosa, drüsig behaart. Blütezeit: IV–VI. Standort: Felsschutt, Flußschotter; auf Kalk. Verbreitung: Kalkgebiete der Alpen, sonst selten; Gebirge Europas.

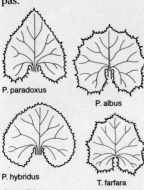

P. paradoxus

P. albus

P. hybridus

T. farfara

Grundblätter

Ähnliche Arten: **Weiße Pestwurz,** *P. albus* (Grundblätter rundlich, unterseits graufilzig, bis 30 cm breit, Hüllblätter grünlichweiß), in krautreichen Wäldern. **Gewöhnliche Pestwurz,** *P. hybridus* (Grundblätter unterseits nur auf den Nerven filzig, bis 50 cm breit, Hüllblätter ohne Drüsenhaare, rötlich), an Bach- und Flußufern. Hinweis: In nichtblühendem Zustand wird gelegentlich der 1köpfige, gelbblühende **Huflattich,** *Tussilago farfara* (S. 90) mit Pestwurzarten verwechselt.

2 Silberdistel, Stengellose Eberwurz (S)

Carlina acaulis
(Röhrenblütler)

Meist fast stengellose Pflanze. Blätter in Rosetten, tief fiederteilig mit stechend gezähnten Abschnitten. Blühende Köpfe bis 10 cm breit; innere Hüllblätter auf der Innenseite silbrigweiß bis rosa, äußere dornig gefiedert. Blüten alle röhrenförmig, weißlich bis rötlich. Blütezeit: VII–IX. Standort: Felshänge, trockene Rasen, lichte Bergwälder; bis über 2500 m. Verbreitung: Alpen; weite Teile Europas.

1 Gewöhnlicher Germer

Veratrum lobelianum ✚
(Liliengewächse)

Bis 1,50 m hohe Pflanze mit beblättertem Stengel. Blätter wechselständig (Unterschied gegenüber den großen Enzianarten), stark längsgefaltet, unterseits flaumig, oberseits kahl. Blüten in einer langen Rispe; Perigonblätter bis 1 cm lang, eiförmig, beiderseits grünlich.
<u>Blütezeit:</u> VI–IX. <u>Standort:</u> Feuchte Wiesen, Viehweiden, Läger- und Karfluren, Waldlichtungen und Hochstaudenfluren; bis 2700 m. <u>Verbreitung:</u> Alpen; Pyrenäen, europäische Mittelgebirge; in Asien bis Japan.
<u>Ähnliche Art:</u> **Weißer Germer,** *V. album* (Perigonblätter ganz oder zumindest innen weiß).

2 Alpen-Zwergorchis ⓢ

Chamorchis alpina
(Orchideengewächse)

Bis 10 cm hohe Pflanze mit grasartigen, rinnig gefalteten Blättern. Blüten klein, ohne Duft; Tragblätter länger als die Blüten; Perigonblätter zusammengeneigt, gelbgrün bis bräunlich, Lippe ungeteilt bis schwach 3lappig, herabhängend, gelblich grün; Sporn fehlt.
<u>Blütezeit:</u> VII–IX. <u>Standort:</u> Polsterseggenrasen, Silberwurzspaliere, Blaugrashalden; stets auf Kalk; bis weit über 2000 m. <u>Verbreitung:</u> Kalkgebiete der Alpen; Karpaten, Hohe Tatra, Rumänien, Skandinavien, Kola.

Einzelblüten ⟍ C. alpina ⟋⟍ C. viride

<u>Ähnliche Art:</u> **Grüne Hohlzunge,** *Coeloglossum viride* (Blätter eiförmig, Lippe meist deutlich 3lappig, grünlich bis bräunlich, Sporn sehr kurz, dick), auf kalkarmen Böden.

3 Grün-Erle

Alnus viridis
(Birkengewächse)

Bis 3 m hoher Strauch, Blätter eiförmig, zugespitzt, bis 6 cm lang, oberseits dunkelgrün, unterseits hellgrün, am Rand spitz gezähnt, Blattzähne länger als breit. Männliche Blütenstände (Kätzchen) zur Zeit des Laubaustriebs blühend, hängend. Weibliche Blütenstiele eiförmig, zu mehreren traubenartig angeordnet.
<u>Blütezeit:</u> V–VII. <u>Standort:</u> Bachufer, Gebüsche, Hochstaudenfluren, Waldränder; bis 2500 m. <u>Verbreitung:</u> Alpen; viele Gebirge Europas.
<u>Hinweis:</u> Die Grün-Erle ist auf feuchten, kalkarmen Böden äußerst konkurrenzkräftig und von hoher Wüchsigkeit. Deshalb gilt sie in der Almwirtschaft als lästiges Weideunkraut. Wegen ihrer starken Wuchskraft und ihres weitreichenden Wurzelwerks ist sie andererseits von großer Bedeutung für den Lebensraum Alpen, weil sie das Abspülen des Bodens verhindert, einen ausgezeichneten Schutz für den Jungwuchs von Bäumen bildet und mit ihren sehr elastischen Ästen Schnee zurückhält und das Abrutschen größerer Schneemengen und auch von Lawinen verhindern kann.

1 Stumpfblättrige Weide

Salix retusa
(Weidengewächse)

Spalierstrauch mit wurzelnden Ästen. Blätter bis 2 cm lang, bis 2 cm breit, verkehrt eiförmig oder spatelig, vorne stumpf oder etwas ausgerandet, völlig kahl, dunkelgrün, im Herbst goldgelb verfärbt und stark riechend. Wenige Blüten in lockeren Kätzchen.
<u>Blütezeit</u>: VI–X. <u>Standort</u>: Felsspalten, Felsschutt, lückige Rasen; auf Kalk; von etwa 1500 bis um 2500 m. <u>Verbreitung</u>: Alpen, Jura; Pyrenäen, Apennin.

2 Netz-Weide

Salix reticulata
(Weidengewächse)

Spalierstrauch mit wurzelnden Ästen. Blätter rundlich elliptisch, oberseits dunkelgrün, durch die eingesenkten Nerven runzelig wirkend, unterseits weißlich grün, zerstreut seidig behaart. Kätzchen dünn walzenförmig, rötlich braun.
<u>Blütezeit</u>: VII–IX. <u>Standort</u>: Schneetälchen, lange schneebedeckte Kalkschuttböden; bis etwa 3000 m. <u>Verbreitung</u>: Alpen; arktisches Europa, Asien und Amerika, weiter nach Süden nur in den Gebirgen.

3 Kraut-Weide

Salix herbacea
(Weidengewächse)

Zwergstrauch, Stamm und Zweige unterirdisch, nur die jüngsten Zweige mit wenigen Blättern ragen über die Erdoberfläche. Blätter rundlich eiförmig, bis 3 cm lang und oft fast ebenso breit, am Rand fein gezähnt. Kätzchen wenigblütig, rundlich bis kurz walzenförmig.
<u>Blütezeit</u>: VI–X. <u>Standort</u>: Kalkfreie Schneetälchengesellschaften; über der Waldgrenze bis über 3000 m. <u>Verbreitung</u>: In den Zentralalpen und Südalpen häufig, in den Nordalpen ziemlich selten; Arktis Europas, Asiens und Nordamerikas, südlich nur in den Gebirgen.

4 Schweizer Weide

Salix helvetica
(Weidengewächse)

Bis 1,50 m hoher Strauch. Neu getriebene Zweige filzig, ältere Zweige kahl. Blätter 4–9 cm lang, 2–3 cm breit, mit wenig, aber drüsig gezähntem Rand, oberseits kahl, dunkelgrün, unterseits weißfilzig behaart. Kätzchen dichtblütig, elliptisch bis walzenförmig.
<u>Blütezeit</u>: VI–IX. <u>Standort</u>: Lange schneebedeckte Felsblockhalden, Bachschotter, Hochstaudenfluren und Grünerlengebüsche; auf kalkfreien Böden. <u>Verbreitung</u>: Alpen; von den Seealpen und Hautes Alpes bis zu den Stubaier und Kitzbüheler Alpen, ins Glocknergebiet und bis zu den Zillertaler Alpen.
<u>Interessantes zur Biologie</u>: Die Weiden sind 2häusig, das heißt männliche und weibliche Kätzchen finden sich auf verschiedenen Pflanzen. Die Blüten stehen ohne Blütenhülle in den Achseln schuppenartiger Hochblätter in Kätzchen genannten Ähren, männliche Blüten nur mit Staubblättern, weibliche Blüten nur mit Fruchtknoten, am Grund mit 1 oder 2 Drüsen, die Nektar absondern und dadurch Insekten anlocken. Die Frucht ist eine vielsamige, mit 2 Klappen aufspringende Kapsel.
Viele der in den Alpen vorkommenden Weiden-Arten sind sehr vielgestaltig, Bastarde sind nicht selten. Es sind deshalb nur die 4 am leichtesten zu erkennenden Arten abgebildet.

1 Alpen-Ampfer

Rumex alpinus
(Knöterichgewächse)

Bis 2 m hohe Pflanze. Grundblätter bis über 50 cm lang, fast so breit wie lang, mit herzförmigem Grund und abgerundeter Spitze.

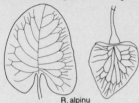

R. alpinu

Grundblatt und Perigon (vergrößert)

Blüten klein, in einem mehrmals verzweigten, dichten Blütenstand; Valven reif etwa 5 mm lang, rotbraun, ganzrandig, ohne Schwielen, äußere Perigonblätter den Valven anliegend.
Blütezeit: VI–VIII. Standort: Viehläger, um Almhütten, Hochstaudenfluren. Verbreitung: Gebirge Mittel- und Südeuropas.

2 Guter Heinrich

Chenopodium bonus-henricus
(Gänsefußgewächse)

Bis 80 cm hohe, meist unverzweigte, wenig behaarte Pflanze. Blätter gestielt, spießförmig, bis 10 cm lang. Blütenstand endständig, dicht, eine ährenartige Rispe; Blütenblätter 3 bis 5, klein, grünlich, mit gezähntem Rand; 5 Staubblätter. Frucht mit häutiger Wand und 1 glänzenden, linsenförmigen Samen.
Blütezeit: V–X. Standort: Viehläger, Wegränder. Verbreitung: Alpen; fast ganz Europa.

3 Steinbrech-Leimkraut

Silene saxifraga
(Nelkengewächse)

Bis 30 cm hohe Pflanze. Stengel unten behaart, oben kahl, klebrig, mit linealischen Stengelblättern. Blüten bis 1,5 cm breit; Kelch 8–15 mm lang, 10nervig; Kronblätter oberseits weißlich, unterseits rötlich bis grün, ausgerandet, am Schlund mit kleinen Schuppen; Kapsel eiförmig, Karpophor kahl.
Blütezeit: VI–IX. Standort: Felsschutt, Felsspalten, lückige Rasen; auf Kalk. Verbreitung: Alpen; Jura, Gebirge Südeuropas. Ähnliche Art: Glocken-Leimkraut, *S. campanula* (Kelch 7–8 mm, Karpophor kurzhaarig), in den Seealpen.

4 Alpen-Bruchkraut

Herniaria alpina
(Nelkengewächse)

In flachen Polstern wachsende Pflanze. Stengel behaart. Blätter bis 5 mm lang, oberseits kahl, am Rand gewimpert; Nebenblätter weiß glänzend, groß. Blüten bis 2,5 mm breit; 5 Kelchblätter, breit hautrandig, mit abstehenden Haaren; Kronblätter unscheinbar oder fehlend.
Blütezeit: VII–IX. Standort: Feiner Kalkschieferschutt; meist über 2000 m. Verbreitung: Von den Ostpyrenäen bis zur Venedigergruppe.

5 Niederliegendes Mastkraut

Sagina procumbens
(Nelkengewächse)

Bis 5 cm hohe Pflanze mit rosettenartig angeordneten Grundblättern und bis 20 cm langen, aufwärts gebogenen, meist kahlen Stengeln. Blätter schmal lanzettlich, am Grund verwachsen, mit kurzer Stachelspitze, kahl. 4 Kelchblätter, bis 3 mm lang, kahl, stumpf, schmal hautrandig; Kronblätter staubblattähnlich oder fehlend; 4 Griffel; Kapsel 4zähnig.
Blütezeit: VI–IX. Standort: Rasen; bis über die Waldgrenze. Verbreitung: Fast weltweit verbreitet.

1 Blattloser Steinbrech ⓢ

Saxifraga aphylla
(Steinbrechgewächse)

Saxifraga aphylla

In lockeren Polstern wachsende Pflanze. Blätter in Rosetten, spatelförmig, an der Spitze mit 3(–5) Zähnen, zerstreut drüsig oder kahl. Blühende Stengel bis 10 cm hoch, drüsig behaart, ohne Blätter. Blüten einzeln am Stengelende; Kronblätter linealisch, zugespitzt, 2–2,5 mm lang, höchstens halb so breit wie die stumpfen Kelchblätter.
Blütezeit: VII–IX. Standort: Grober Kalk-Felsschutt; bis über 3000 m. Verbreitung: Alpen vom Lauterbrunnental, Splügen und Monte Tonale nach Osten, vorwiegend in den nördlichen Ketten.
Ähnliche Arten: Moschus-Steinbrech, *S. moschata* (Stengel beblättert, 1- bis 5blütig, ganzrandige und bis 3lappige Rosettenblätter; Kronblätter etwa so breit wie die Kelchblätter, decken sich mit den Rändern nicht). Furchen-Steinbrech, *S. exarata* (Stengel beblättert, mehrblütig, Grundblätter dicht drüsig, vorne mit 3–7 schmalen Abschnitten, Kronblätter doppelt so breit wie die Kelchblätter, überdecken sich mit den Rändern, weiß oder rötlich). Seguiers Steinbrech, *S. seguieri* (Grundblätter spatelig lanzettlich, ganzrandig, stumpf, Kronblätter etwa so lang wie die Kelchblätter, verkehrt eiförmig). Fettkraut-Steinbrech, *S. sedoides* (Blätter ganzrandig, spatelig lanzettlich, stachelspitzig, Kronblätter kürzer und schmäler als die Kelchblätter).

2 Mandelblättrige Wolfsmilch

Euphorbia amygdaloides
(Wolfsmilchgewächse)

Bis 80 cm hohe Pflanze mit nicht blühenden Laubtrieben, milchsaftführend. Blätter lanzettlich lederig, ganzrandig. Blütenstand walzenförmig; Hochblätter zu einem rundlichen Blatt verwachsen; Teilblütenstände becherförmig, mit 2hörnigen, gelben bis braunroten Drüsen; Kapsel 4 mm lang, tief 3furchig, kahl.

E. amygdaloides

Blütenstand mit halbreifer Frucht

Blütezeit: IV–VI. Standort: Laubmischwälder, Grünerlengebüsche; auf Kalk; bis um 1800 m. Verbreitung: Fast ganz Europa. Hinweis: Zahlreiche weitere Wolfsmilch-Arten im Bereich der Alpen.

3 Zwerg-Kreuzdorn

Rhamnus pumilus
(Kreuzdorngewächse)

Spalierstrauch ohne Dornen. Blätter wechselständig, mit fein gezähntem Rand, über der Mitte am breitesten, bis 3 cm lang, auf jeder Seite des Mittelnervs mit 4–9 fast geraden Seitennerven. Blüten klein, 4zählig; Kronblätter schmal, unscheinbar, oft fehlend; 3–4 Griffel.
Blütezeit: V–VII. Standort: Felsspalten; auf Kalk; bis um 3000 m. Verbreitung: Alpen; Gebirge Südeuropas, Nordafrika.

1 Große Sterndolde

Astrantia major subsp. major
(Doldengewächse)

Bis 1 m hohe, kahle Pflanze. Stengel aufrecht, wenig beblättert, meist nur an der Spitze etwas verzweigt. Grundblätter langgestielt, 5- bis 7teilig, Abschnitte am Rand gezähnt. Blüten unscheinbar, in einfachen Dolden; Hüllblätter etwa so lang wie die Blüten, 3- bis 5nervig, ganzrandig.
Blütezeit: VI–VIII. Standort: Mähwiesen, Hochstaudenfluren, lichte Wälder; auf Kalk; bis etwa 2000 m. Verbreitung: Alpen; Mittel- und Südeuropa.

A. major subsp. carinthiaca

Döldchen (vergrößert) und Grundblatt

Ähnliche Art: **Kärntner Sterndolde**, *A. major subsp. carinthiaca* (Hüllblätter doppelt so lang wie die Blüten, vorne gezähnt).
Hinweis: Einige ähnliche Arten in den Alpen.

2 Heidelbeere

Vaccinium myrtillus
(Heidekrautgewächse)

Bis 50 cm hoher Strauch. Junge Zweige grün, mit geflügelten Kanten. Blätter sommergrün, breit lanzettlich, mit flachem, fein gezähntem Rand. Blüten einzeln

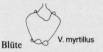

Blüte   V. myrtillus

in den Blattachseln; Krone kugelig, 4–5 mm breit, grünlich, oft purpurn überlaufen. Frucht eine dunkelblaue, 5–8 mm breite Beere mit dunklem Fleisch und Saft.

Blütezeit: V–VI. Standort: Bergwälder, Zwergstrauchbestände, Rasen, Moore; auf kalkarmen Böden; bis um 2000 m. Verbreitung: Alpen; fast ganz Europa und Asien.

3 Einseitswendiges Wintergrün

Orthilia secunda
(Wintergrüngewächse)

Bis 30 cm hohe Pflanze. Blätter im unteren Stengeldrittel, lederig, derb, breit lanzettlich, spitz, am Rand fein gezähnt. Blütenstand einseitswendig; Kronblätter grünlich, 3–4 mm lang, glockenförmig zusammengeneigt; Kelchblätter 3eckig; Griffel gerade.
Blütezeit: VI–IX. Standort: Humusreiche Nadelwälder; bis zur Baumgrenze. Verbreitung: Fast ganz Europa; große Gebiete Asiens und Amerikas.

4 Kleine Wachsblume

Cerinthe minor subsp. auriculata
(Rauhblattgewächse)

Bis 50 cm hohe, kahle Pflanze. Grundblätter länglich, in den Stiel verschmälert; Stengelblätter eiförmig, sitzend, oberseits hell grün, unterseits blaugrün. Krone bis 1,5 cm lang, in den Buchten zwischen den lanzettlichen, geraden Kronzipfeln mit dunkelroten Flecken; Kelchzipfel eiförmig, stumpf.
Blütezeit: VI–IX. Standort: Hochstaudenfluren, Grünerlengebüsche, Rasen; bis 2000 m. Verbreitung: Alpen; Apennin, Sizilien, Balkanhalbinsel.
Ähnliche Art: **Alpen-Wachsblume**, *C. glabra* (Kronzipfel eiförmig, an der Spitze zurückgebogen).

1 Alpenhelm

Bartsia alpina
(Braunwurzgewächse)

Bis 30 cm hohe, drüsenhaarige Pflanze. Blätter eiförmig, kerbig gesägt, gegenständig, halbstengelumfassend, oft trübviolett überlaufen. Krone röhrenförmig, nach vorne etwas erweitert, dunkelviolett, schwach 2lippig. Blütezeit: V–IX. Standort: Quellfluren, Flachmoore, Bergwiesen; bis weit über 2000 m. Verbreitung: Alpen; Gebirge Mittel- und Südeuropas, Nordeuropa; arktisches Asien und Nordamerika. Hinweis: Die Art lebt als Halbschmarotzer auf den Wurzeln verschiedener Rasenpflanzen.

2 Schlanke Sommerwurz

Orobanche gracilis
(Sommerwurzgewächse)

Bis 60 cm hohe Pflanze mit rötlichgelbem, drüsig behaartem Stengel. Tragblätter oft fast so lang wie die Blüte, Vorblätter fehlen. Blüten nach Nelken duftend; Krone 1,5–2,5 cm, kurzdrüsig behaart, außen gelblich, innen kräftig dunkelrot, Kronröhre etwas gebogen, Oberlippe ausgerandet, Unterlippe mit fast gleich großen Lappen; Narbe gelb; Staubfäden bis etwa zur Mitte behaart. Blütezeit: V–VIII. Standort: Trockene Wiesen; bis über 1500 m. Verbreitung: Alpen; weite Gebiete Europas. Hinweis: Im Gebiet der Alpen zahlreiche weitere Arten, die nicht immer leicht zu bestimmen sind.

3 Alpen-Wegerich

Plantago alpina
(Wegerichgewächse)

Bis 20 cm hohe Pflanze. Blätter in Rosetten, linealisch, plötzlich in die Spitze verschmälert, flach, kahl oder zerstreut behaart. Schäfte aufrecht, angedrückt behaart. Blüten in bis 3 cm langen und 3 mm breiten Ähren; Tragblätter breit eiförmig, fast spitz grün; Blüten mit flaumig behaarter Röhre und 4 weißlichen Kronzipfeln. Blütezeit: V–VIII. Standort: Kalkarme Böden; Schneetälchen, Rasen; über 1000 m. Verbreitung: Alpen ostwärts bis in die Ammergauer Alpen, in den Pinzgau und ins Etschgebiet; Gebirge Mittel- und Südeuropas. Ähnliche Arten: Berg-Wegerich, *P. atrata* (Blätter lanzettlich, stark längsnervig, Ähren kugelig schwärzlich, Kronröhre außen Schäfte abstehend behaart), auf kalkhaltigen Böden. Bräunlicher Wegerich, *P. fuscescens* (wie Berg-Wegerich, aber Blätter und Schäfte anliegend langhaarig), in den Südwestalpen. Schlangen-Wegerich, *P. serpentina* (Blätter linealisch, Ähren linealisch, bis 7 cm lang, bis 4 mm breit), in den Südalpen. Gekielter Wegerich, *P. holosteum* (Blätter linealisch 3kantig, Tragblätter zugespitzt), in den Südalpen.

4 Hoppes Ruhrkraut

Gnaphalium hoppeanum
(Korbblütler)

Bis 10 cm hohe, hellgrau filzige Pflanze. Blätter ganzrandig, 1nervig, lanzettlich, 2–4 mm breit, Köpfchen 5–7 mm lang, wenige Hüllschuppen dachziegelartig angeordnet, mit breitem, schwarzem Rand, zur Fruchtzeit nicht sternförmig ausgebreitet; Blüten alle röhrenförmig, bräunlich. Blütezeit: VII–VIII. Standort: Felsschutt, Weidenspaliere, Pionierrasen; auf Kalk; über 1500 m. Verbreitung: Alpen; Ostpyrenäen, Tatra, Apennin, Balkanhalbinsel.

1|2

3

4

Die Vegetationsstufen

Wer auf einer Paßstraße durch die Alpen fährt, mit einer Seilbahn auf einen Berg schwebt oder ihn zu Fuß ersteigt, erlebt, wie sich die Landschaft mit zunehmender Höhe verändert: Nach Laubwäldern kommt Fichtenwald, der sich allmählich auflockert, die hochwüchsigen Pflanzen werden abgelöst von niedrigwüchsigen, der Boden wird steiniger und karger. Felswände ragen schroff empor, die Sonne strahlt intensiver, der Wind bläst stärker – je höher man kommt, desto kühler wird es.

In allen Gebieten der Alpen sind – vom Tiefland bis zu den höchsten Gipfeln – Unterschiede der Landschaft, des Klimas und der Vegetation erkennbar. Pro 100 Höhenmeter sinkt die Durchschnittstemperatur um 0,5 °C, die Wachstumszeit für die Pflanzen (Vegetationszeit) reduziert sich um 1 bis 2 Wochen. Die Ausprägung der einzelnen »Stockwerke der Alpen«, der Vegetationsstufen (→ Seite 1), ist auch abhängig von der geographischen Lage und der Höhe der Gebirge. Zwischen den einzelnen Vegetationsstufen liegen mehr oder weniger breite Übergangszonen.

Die Hügelstufe (kolline Stufe): Sie reicht vom Tiefland bis zur oberen Grenze des Weinbaus in 500 bis 800 m Höhe. Die mittleren Jahrestemperaturen liegen zwischen 8 und 12 °C, die Vegetationszeit beträgt mehr als 8 Monate. Kennzeichnend sind Laubmischwälder und Föhrenwälder, Ackerbau und Grünlandwirtschaft.

Die Bergstufe (montane Stufe): Ihre obere Grenze liegt in den Nordalpen bei 1300 bis 1400 m, in den Zentralalpen bei 1300 bis 1500 m, in den Südalpen um 1800 m. Die mittleren Jahrestemperaturen liegen zwischen 4 und 8 °C, die Vegetationszeit beträgt mehr als 6½ Monate. Die Bergstufe wird landwirtschaftlich stark genutzt; sie ist ge-

prägt vom Laubwald, in dem di Buche überwiegt. Die Fichte wir hier meist angepflanzt, nur in de Trockengebieten der Zentralalpe wächst sie ohne Zutun des Me schen.

Die subalpine Stufe: Ihre ober Grenze reicht in den Nordalpen b 1900 m, in den Zentralalpen b 2400 m, in den Südalpen bis u. 2000 m. Die mittleren Jahrestemp raturen liegen zwischen + 1 °C ur − 2 °C; die jährliche Durc schnittstemperatur ist von 2000 m um 12 °C tiefer als Meereshöhe. Die subalpine Stu ist 3 bis 6 Monate schneefrei; d Vegetationszeit liegt zwischen 3 und 6½ Monaten. Verglichen m der Bergstufe ist die Sonnenei strahlung hoch, die Niederschlä sind stark. Diese Vegetationsstu ist gekennzeichnet durch natürli gewachsenen Nadelwald, vorwi gend mit Fichte, die sehr tiefe Te peraturen verträgt, sogar Frös während der Vegetationszeit. I von allen unseren Bäumen Lärc und Zirbe die stärksten Fröste au halten, findet man sie in den Ze tral- und den nördlichen Südalp noch über dem Fichtenwald; in d Nordalpen wachsen sie, neben d Fichte, bis an die Waldgrenze. D oft parkartig wirkende Wald lö sich in Höhen zwischen 1900 u 2400 m allmählich auf, im ober Teil der subalpinen Stufe, d Kampfzone, wachsen Bäume n noch vereinzelt. Charakteristis für die Kampfzone der nördlich Kalkketten ist ein Latschengürt Typische Vegetationseinheit in c Kampfzone der kristallinen Ze tralalpen sind Zwergstrauchbestä de mit Alpenrosen, Zwergwach der und *Vaccinium*-Arten. Waldgrenze ist oft 200 m und me durch Rodung »herabgedrückt so wurde Platz geschaffen für A men.

Die alpine Stufe: Sie liegt oberh der Baumgrenze und reicht in H hen von 2400 bis 3200 m. Die Ve tationszeit ist mit 2 ½ bis 3 Monaten extrem kurz. Für diese Vegetationsstufe ist nicht das Jahreszeitenklima ausschlaggebend, sondern das Tages- oder Mikroklima – und das weist in diesen Höhen große Gegensätzen auf: Zwischen Tag und Nacht können Temperaturunterschiede von 50 °C und mehr auftreten. Die Sonneneinstrahlung ist erheblich stärker als in tieferen Lagen, denn die klare Luft enthält weniger Staub und Wasserdampf, hat also nur geringe Filterwirkung. Durch die Wärmestrahlung werden Boden und Pflanzen aufgeheizt, während die Lufttemperatur nur geringfügig ansteigt. Nachts ist eine starke Wärmeabstrahlung die Regel – die Temperatur sinkt. Die intensive UV-Strahlung des Sonnenlichts hemmt das Längenwachstum der Alpenpflanzen; sie ist verantwortlich für den niedrigen Wuchs (Zwergwuchs) jener Arten, die nicht durch Vererbung niedrigwüchsig sind. Der starke Wind in diesen Höhen, der zwar zur Verbreitung der Samen beiträgt und in gewissem Ausmaß verhindert, daß die Pflanzen überhitzt werden, schadet ihnen auch: Unter seinem Einfluß verdunsten sie mehr Wasser – sie sind von Austrocknung bedroht. Oft wird der Wind zum Orkan mit Geschwindigkeiten um 100 km/h. Er beansprucht die oberirdischen Pflanzenteile direkt durch Zug, indirekt durch die Schleifwirkung von Gesteinsstaub oder Schneekristallen, die er mit sich führt. Hohe Niederschläge sind die Regel, in den Außenketten der Alpen fallen in Höhen um 2000 m über 2 m Niederschläge im Jahr – als Schnee und Regen. Sie wirken der Austrocknung der Pflanzen durch den Wind entgegen, sind jedoch sehr ungleichmäßig verteilt, so daß die Pflanzen einem häufigen Wechsel von Wasserüberschuß und Wassermangel ausgesetzt sind. Schnee, obwohl kalt, ist für die Pflanzen ein ausgezeichneter Schutz, denn der Boden unter einer dicken Schneedecke ist selten gefroren, nicht einmal bei Lufttemperaturen um −20 °C. Ist er gefroren, dann vertrocknen die Pflanzen, weil sie das im Boden zu Eis erstarrte Wasser nicht aufnehmen können. Unter der Schneedecke bleiben die Pflanzen auch deshalb aktiv, weil Licht durchdringen kann, sie sind also in gewissem Sinn »immergrün«.

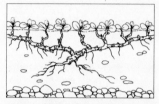

Die Kraut-Weide (Salix herbacea) *zeigt die extremste Form der Anpassung von Gehölzen an die alpine Stufe: Sie wächst unterirdisch und schiebt während der kurzen Wachstumsperiode nur wenige Blättchen und die Kätzchen über die Bodenoberfläche.*

In der alpinen Stufe wachsen Zwergstrauchbestände nur noch an vom Wind schneefrei gehaltenen Graten oder an geschützten Stellen, an denen der Schnee besonders lange liegenbleibt. Sonst treten nur vereinzelt, oft spalierartig dem Boden angeschmiegte Zwergsträucher auf, die durch ihren horizontalen Wuchs der Windeinwirkung weitgehend entzogen sind. Hauptbestandteil der Vegetation sind Rasen (Grasheiden, Urwiesen), die sich – je höher desto mehr – infolge der immer härteren Lebensbedingungen und der zunehmenden mechanischen Störungen durch rutschenden Schnee und Felsschutt schließlich nur noch in Inseln finden. Diesen Bereich, in dem Felsschutt und Felswände flächenmäßig überwiegen und Blütenpflanzen zwar noch zahlreich, aber nur mehr einzeln wachsen, ohne Bestände zu bilden, bezeichnet man als die obere alpine (oder untere nivale) Stufe.

Die nivale Stufe (Schneestufe): Sie beginnt bei etwa 3000 m, dort, wo auf ebenen Flächen das Jahr über mehr Schnee liegenbleibt als abschmilzt. Hier können nur noch wenige Pflanzen an steilen Felswänden oder vom Wind schneefrei geblasenen Graten leben, dabei allerdings Höhen bis über 4000 m erreichen; in dieser lebensfeindlichen Stufe überwiegen Moose und Flechten.

Pflanzengesellschaften in den Alpen

Die Alpenpflanzen haben im Laufe ihrer wechselvollen Geschichte »gelernt«, unter den harten Lebensbedingungen ihrer Standorte zu überleben. Wie überall auf der Erde, findet man auch in den Alpen Pflanzengesellschaften: Immer wieder an den gleichen Stellen, beispielsweise in Felsspalten, auf Felsschutt oder im Rasen, wachsen stets dieselben Pflanzenarten nebeneinander, die in etwa die gleichen Ansprüche haben an ihre Umwelt und an den Boden, auf dem sie wachsen.

Die Felsspaltgesellschaften: In Felsritzen und -spalten hält sich die Feuchtigkeit zwar lange, die steinige Oberfläche aber ist größten Temperaturgegensätzen, starkem Wind und intensiver Sonneneinstrahlung ausgesetzt. An diese Lebensbedingungen haben sich die Felsspaltpflanzen angepaßt durch Polsterwuchs, fleischige Blätter, Blattbehaarung und tief in die Felsklüfte reichende, weitverzweigte Wurzeln (→Zeichnung). Für die Felsspaltengesellschaften der alpinen Stufe, die auf Kalk oder Dolomit wachsen, ist der Schweizer Mannsschild (Seite 216) charakteristisch, für jene auf Silikat Vandellis Mannsschild (Seite 216). In der subalpinen Stufe sind die Felsspaltengesellschaften seltener; sie können im Sommer der Trockenheit und Hitze, die sich in tieferen Lagen stärker auswirken als in höheren mit kühlendem Wind, nicht standhalten. Hier ist für Kalkfelsspalten das Stengel-Fingerkraut (Seite 208) typisch, für Silikatfelsspalten der Pracht-Steinbrech (Seite 204).

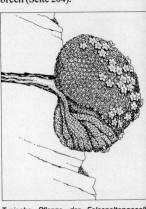

Typische Pflanze der Felsspaltengesellschaften: Das kompakte Polster des Schweizer Mannsschilds (Androsace helvetica) ist mit einer langen Pfahlwurzel tief in der Felsspalte verankert. Die Stengel (im Schnitt unten zu sehen) sind gabelig verzweigt, jedes Jahr bilden sie neue, kurze Blatt- und Blütentriebe; die alten Blätter sterben ab, vertrocknen und werden allmählich zu Humus.

Die Felsschuttgesellschaften:

Durch Verwitterung bilden sich am Fuß von Felswänden immer wieder frische Schutthalden (Grobblockhalden, Grobschutt). Ihre oberste Schicht ist noch sehr beweglich durch den Grobschutt vor Austrocknung und Erhitzung geschützt, liegen darunter in der Regel Feinerde und Feinschutt. Hier finden jene Pflanzen die größten Lebensmöglichkeiten, die am besten an diese Standortbedingungen angepaßt sind, so die <u>Schuttwanderer</u>, die <u>Schuttstauer</u>, die <u>Schuttüberkriecher</u> und die <u>Schuttstrecker</u> (→Zeichnung). Die zwischen den Gesteinstrümmern in Hohlräumen eingefangene, unbewegte Luft schützt den Boden vor Austrocknung. Die Pflanzen wachsen oft wie in kleinen Grotten, aus denen nur die Blütenstengel hervorragen. Sie brauchen deshalb keine so starke Anpassung an Trockenheit wie die Pflanzen der Felsspalten; von einer gewissen Tiefe an ist in Schutthalden stets ausreichend Feuchtigkeit vorhanden. Charakteristisch für Kalkschutthalden der alpinen Stufe ist das Rundblättrige Täschelkraut (Seite 130), der subalpinen Stufe Alpen-Pestwurz (Seite 228) und Schild-Ampfer (Seite 118). Charakteristische Arten der Silikatschutthalden sind Weißfilziger Alpendost (Seite 166) und Alpen-Mannsschild (Seite 156). Typische Arten auf den fast staubfeinen Kalkschiefer-Verwitterungsböden sind Mont Cenis-Glockenblume (Seite 38) und Alpen-Bruchkraut (Seite 234).

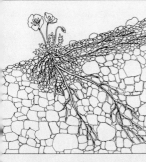

Typische Pflanze der Felsschuttgesellschaften: Der Schuttstauer Sendtners Alpenmohn (Papaver sendtneri) *streckt einige seiner Wurzeln – durch die er Wasser bezieht – tief in den Felsschutt, während andere die Pflanze im beweglichen Schutt verankern. (Nach Jenny-Lips 1930.)*

Die Rasengesellschaften (Alpenmatten, Urwiesen): Rasen sind gehölzfreie Flächen, die bedeckt sind von einem mehr oder weniger geschlossenen Teppich aus Gräsern und Blumen; sie können auch ohne menschlichen Einfluß bestehen. Diese Bestände sind in den Alpen nur oberhalb der Waldgrenze zu finden. Ihre Vegetationsdichte richtet sich nach dem Alter der Bestände und der Art des Bodens. Die er-

ste Rasengesellschaft (Pioniergesellschaft) auf Kalkböden ist der Polsterseggenrasen (Polstersegge →vordere Umschlaginnenseite). Die Bestände sind nur kurz vom Schnee bedeckt und äußerst wind-

Blaugras-Horstseggenrasen: Unterschiedlich starke Humusanreicherung infolge ständig wechselnder Oberflächenform; Standort von Blütenpflanzen mit sehr unterschiedlichen Ansprüchen. (Nach Albrecht 1969.)

und kältefest; charakteristische Art ist der Blaugrüne Steinbrech (Seite 202). Auf länger vom Schnee bedeckten Südhängen findet sich auf humsreicheren Böden die Blaugras-Horstseggenhalde (→Zeichnung oben) – eine der blütenreichsten Pflanzengesellschaften der Alpen, durch horstförmige Gräser oft treppenartig gegliedert. Charakteristische Arten sind Gebirgs-Spitzkiel (Seite 140), Edelweiß (Seite 222) und Alpen-Aster (Seite 42). Auf gut durchfeuchteten, lockeren Böden, vor allem an Nordhängen, wächst der Rostseggenrasen; kennzeichnend sind Gelbes Läusekraut (Seite 86), Strauß-Glockenblume (Seite 90) und Kugel-Knabenkraut (Seite 116). Auf Silikat in der alpinen Stufe sind Krummseggenrasen vorherrschend, mit wenigen Pflanzenarten, die jedoch über größere Gebiete einheitliche Bestände bilden. Es sind stets bräunlich getönte Rasen mit oft sehr dichter Vegetation, die lange Schneebedeckung braucht. Charakteristische Arten sind Breitblättriger Enzian (Seite

18) und Halbkugelige Teufelskralle (Seite 40).

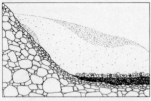

Schneetälchengesellschaft: Im angesammelten Humus (rechts, dunkel) wächst die Krautweide (Salix herbacea). Die Vegetationszeit ist hier auf ein bis zwei Monate beschränkt. Angedeutet ist die größte Überdeckung mit Schnee und der letzte Schneerest am Ende des Sommers (links am Hang).

Schneetälchengesellschaften kommen dort vor, wo der Schnee lange liegenbleibt; Vegetationszeiten von nur 1 bis 2 Monaten sind die Regel. Die meist nur kleinflächigen Bestände wachsen auf schwärzlichen, sauren, gut durchfeuchteten Böden mit hohem Humusgehalt sowohl über Kalkgestein als auch über Silikat und sind reich an Moosen. Die häufigste Art dieser Pflanzengesellschaft ist die Kraut-Weide (Seite 232 und 243), daneben Dreigriffeliges Hornkraut (Seite 184) und Fünfblättriger Frauenmantel (Seite 64). Schneetälchen der Kalkalpen, deren Boden kalkhaltig (also noch nicht versauert) ist, beherbergen die Blaue Gänsekresse (Seite 10) und Spalierweiden (Seite 232).

Quellfluren haben das ganze Jahr über eine üppige Wasserversorgung. Neben vielen Moosen wachsen hier Sternblütiger Steinbrech (Seite 204) und Fetthennen-Steinbrech (Seite 60).

Die auffälligsten Pflanzengesellschaften der subalpinen Stufe sind Hochstaudenfluren und Grünerlengebüsche. Sie brauchen Schatten und Feuchtigkeit, der Boden muß locker, durchlüftet und reich an Feinerde und Mineralstoffen sein. Typische Arten sind Alpen-Milchlattich (Seite 42) oder Fuchs'

Kreuzkraut (Seite 98). An für sie günstigen Stellen wachsen Arten der Hochstaudenfluren auch in Karen über der Baumgrenze; diese Bestände, oft durch die Stachelige Kratzdistel (Seite 100) geprägt, bezeichnet man als Karfluren. Eine besondere Gesellschaft von hochwüchsigen Pflanzen, die den Hochstaudenfluren ähnelt, wächst an überdüngten Stellen um Almhütten, die Lägerfluren, charakterisiert durch den Alpen-Ampfer (Seite 234).

Weiden, Rasenflächen, auf denen längere Zeit das Vieh grast, sind artenärmer als natürliche Rasen, weil viele Pflanzen es nicht vertragen, immer wieder vom Vieh abgefressen zu werden. Für Weiden auf guten Böden, die Almwiesen, sind Gold-Pippau (Seite 106) und Alpen-Mutterwurz (Seite 148) kennzeichnend. Bei schlechter Bewirtschaftung werden aus diesen Almwiesen Magerweiden, in denen das Borstgras, das vom Vieh nicht gefressen wird, überhand nimmt.

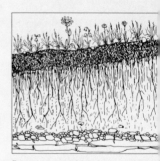

Borstgrasrasen auf tiefgründig verwittertem Gestein (Bodentiefe etwa 50 cm). Unter der dunklen Humusschicht liegt noch eine stark durchwurzelte Bodenschicht.

Die Grenzen der waldfreien Pflanzengesellschaften der Alpen mit den für sie typischen Arten sind nur dort scharf gezogen, wo der Mensch eingegriffen hat; unbeeinflußt von Menschenhand sind ihre Grenzen fließend.

Arten-Register

Ein GU Naturführer

CIP-Kurztitelaufnahme der Deutschen
Bibliothek

Lippert, Wolfgang:
GU-Naturführer Alpenblumen: d. wichtigen Blütenpflanzen d. Ost- u. Westalpen erkennen u. bestimmen / Wolfgang Lippert. –
2. Aufl. – München: Gräfe und Unzer, 1987.
ISBN 3-7742-3433-7

2. Auflage 1987

Redaktionsleitung: Hans Scherz
Redaktionelle Bearbeitung:
Doris Schimmelpfennig-Funke
Lektorat: Ursula Osswald
Herstellung: Helmut Giersberg

Zeichnungen: Heinz Bogner
Karten: Kartographie Gert Oberländer
Einbandgestaltung: Heinz Kraxenberger
Reproduktion:
Graph. Anstalt E. Wartelsteiner
Satz und Druck: Druckerei G. Appl
Bindung: Conzella, Verlagsbuchbinderei
Urban Meister
ISBN 3-7742-3433-7

Die Fotografen:

Achberger: Seite 59/2. Angerer/Schimmitat: U1, Seite 11/3, 13/4, 25/1, 27/3, 33/2, 3, 35/4, 37/3, 41/1, 3, 49/2, 51/1, 53/2, 57/1, 2, 59/3, 61/4, 63/3, 65/1, 2, 3, 71/2, 4, 73/2, 3, 77/1, 2, 3, 81/3, 5, 83/2, 87/1, 89/1, 93/1, 2, 95/4, 105/1, 109/1, 2, 123/1, 131/1, 2, 135/2, 139/4, 141/1, 143/1, 145/2, 3, 147/3, 153/2, 155/3, 161/2, 169/2, 171/2, 179/3, 181/1, 5, 183/1, 2, 3, 185/4, 187/1, 2, 189/2, 197/1, 2, 3, 4, 199/1, 3, 203/2, 4, 205/3, 207/2, 209/4, 217/3, 223/1, 2, 233/4, 235/3, 5, 237/2. Bolze: Seite 185/1, 209/3. Bormann: Seite 41/2. Buff: Seite 71/1, 179/2, 199/2, 215/3. de Cuveland: Seite 219/4. Danesch: Seite 13/1, 3, 39/1, 4, 47/2, 59/1, 97/1, 99/3, 101/3, 113/3, 5, 115/1, 117/4, 125/3, 133/2, 149/1, 151/4, 167/1, 173/1, 177/4, 191/5, 205/2. Dorn: Seite 25/2, 111/1, 137/3, 177/5. Eigstler: Seite 23/4, 53/1, 75/3, 87/3. Eisenbeiß: Seite 19/3,

161/3. Garnweidner: Seite 11/1, 15/1, 17/3, 19/1, 21/4, 29/2, 31/3, 39/3, 43/3, 53/3, 63/4, 79/1, 81/1, 2, 87/2, 91/4, 101/5, 107/5, 119/3, 121/5, 129/1, 133/3, 143/149/3, 157/1, 5, 159/1, 2, 165/2, 171/173/3, 5, 185/2, 191/2, 3, 195/2, 3, 213/217/1, 221/3, 225/2, 231/3. Gensette Seite 91/3. Greiner & Meyer: Seite 97/219/3. Harms: Seite 103/1, 219/1. Höhn U1. Humperdinck: Seite 155/1. Kohlhaup Seite 9/1, 11/2, 21/2, 23/1, 2, 31/1, 35/37/1, 45/1, 2, 47/4, 5, 49/3, 67/3, 175/191/4, 193/3, 201/1, 2, 209/1, 211/1, 227/233/1, 235/4, 237/3, 241/3, 4. P. Lipper Seite 151/3. W. Lippert: Seite 21/1, 35/43/3, 63/1, 83/1, 95/3, 103/2, 109/3, 125/173/2, 191/1, 195/4, 235/2. Lippoldmülle Seite 105/2, 197/4, 111/2, 145/1, 163/213/1, 3, 223/3. Löbl-Schreyer: Seite 157/Matheis: Seite 221/1. Neumaier: Seite 17/27/1, 33/1, 43/4, 47/3, 57/3, 61/2, 3, 67/69/2, 71/5, 73/1, 79/2, 83/3, 85/1, 4, 103/113/4, 117/1, 3, 121/4, 125/1, 127/1, 131/135/3, 137/1, 4, 139/3, 147/2, 153/3, 155/157/4, 163/4, 167/3, 175/3, 181/2, 4, 201/203/3, 227/1, 229/1, 241/2. Pforr: Seite 219/2. Pott: Seite 205/4. Reinhard: Seite 17/2, 51/2, 125/2, 129/3, 135/1, 143/151/1, 169/1, 4, 177/1, 193/1, 2, 201/205/1, 207/1, 225/1, 229/2, 239/1. Reisigl Seite 55/1, 3, 4, 71/3, 77/4, 89/2, 123/127/2, 137/2, 157/2, 163/1, 175/1, 179/1 Schacht: Seite 45/3, 91/2, 101/3, 113/119/2, 147/4, 163/2, 233/2, 237/1. Scherz U1, Seite 2, 3, 19/2, 67/2, 75/1, 171/177/3, U4. Schimmitat: U1, Seite 9/2, 17/21/3, 23/3, 29/1, 4, 31/2, 33/4, 35/2, 37/39/2, 47/1, 49/1, 55/2, 63/2, 69/1, 79/81/4, 85/2, 3, 91/1, 5, 95/2, 107/1, 2, 115/2, 121/1, 2, 3, 123/1, 129/2, 131/133/4, 137/3, 141/2, 147/1, 151/2, 153/159/3, 161/1, 4, 5, 165/1, 3, 167/2, 169/181/3, 185/3, 189/3, 195/1, 209/2, 215/217/2, 4, 221/2, 227/3, 233/3, 235/1, 239/3, 4. Schmid: Seite 189/1. Schrempp: Seite 15/3, 33/5, 43/1, 67/4, 75/2, 111/133/1, 139/1, 2, 167/5, 211/3, 4, 215/231/2. Seidl: Seite 27/2. Wothe: Seite 13/23/1, 43/2, 49/4, 61/1, 5, 95/1, 99/1, 2, 101/4, 103/3, 113/2, 117/2, 149/2, 167/4, 177/2, 203/1, 5, 223/4, 231/1.

Blüten- und Kelchformen

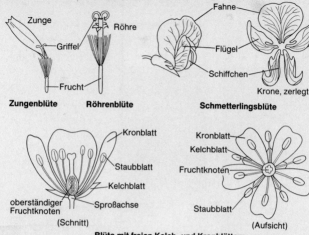

Zungenblüte — Zunge, Griffel, Frucht

Röhrenblüte — Röhre

Schmetterlingsblüte — Fahne, Flügel, Schiffchen, Krone, zerlegt

Blüte mit freien Kelch- und Kronblättern — Kronblatt, Staubblatt, Kelchblatt, oberständiger Fruchtknoten, Sproßachse (Schnitt)

Kronblatt, Kelchblatt, Fruchtknoten, Staubblatt (Aufsicht)

Einfache Blütenhülle — Krone (Perigon)

Blütenhülle aus freien Kelch- und Kronblättern — Kronblätter, Kelch

Blütenhülle aus verwachsenen Kelch- und Kronblättern — Kronlappen, Krone, Kelch

Blattformen – einfache Blätter

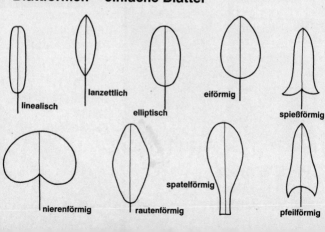

linealisch, lanzettlich, elliptisch, eiförmig, spießförmig

nierenförmig, rautenförmig, spatelförmig, pfeilförmig